A civilização do espetáculo

Mario
Vargas
Llosa

A civilização do espetáculo

Uma radiografia do nosso tempo e da nossa cultura

Tradução
Ivone Benedetti

22ª reimpressão

Grafia atualizada segundo o Acordo Ortográfico da Língua Portuguesa de 1990, que entrou em vigor no Brasil em 2009.

Título original
La civilización del espectáculo

Capa
Raul Fernandes

Revisão
Ana Kronemberger
Lilia Zanetti

CIP-Brasil. Catalogação na fonte
Sindicato Nacional dos Editores de Livros, RJ

V426c
Vargas Llosa, Mario
A civilização do espetáculo : uma radiografia do nosso tempo e da nossa cultura/ Mario Vargas Llosa; tradução Ivone Benedetti. – 1ª ed. – Rio de Janeiro: Objetiva, 2013.

Tradução de: La civilización del espectáculo.
ISBN 978-85-390-0494-2

1. Civilização moderna – Séc. XX – Filosofia. 2. Cultura – Filosofia – Séc. XX. 3. Problemas sociais – História – Séc. XX. I. Título.

CDD: 306.01
13-00836 CDU: 316

EDITORA SCHWARCZ S.A.
Praça Floriano, 19, sala 3001 — Cinelândia
20031-050 — Rio de Janeiro — RJ
Telefone: (21) 3993-7510
www.companhiadasletras.com.br
www.blogdacompanhia.com.br
facebook.com/editoraobjetiva
instagram.com/editora_objetiva
twitter.com/edobjetiva

Sumário

A Juan Cruz Ruiz, sempre com sua caderneta e seu lápis.

As horas perderam seu relógio.

VICENTE HUIDOBRO

Metamorfose de uma palavra

É provável que nunca na história tenham sido escritos tantos tratados, ensaios, teorias e análises sobre a cultura como em nosso tempo. O fato é ainda mais surpreendente porque a cultura, no sentido tradicionalmente dado a esse vocábulo, está prestes a desaparecer em nossos dias. E talvez já tenha desaparecido, discretamente esvaziada de conteúdo, tendo este sido substituído por outro, que desnatura o conteúdo que ela teve.

Este pequeno ensaio não tem a aspiração de aumentar o já elevado número de interpretações sobre a cultura contemporânea, mas apenas de fazer constar a metamorfose pela qual passou aquilo que se entendia ainda por cultura quando minha geração entrou na escola ou na universidade, e a matéria heteróclita que a substituiu, numa adulteração que parece ter-se realizado com facilidade e com a aquiescência geral.

Antes de dar início à minha própria argumentação a respeito, gostaria de passar em revista, embora de maneira sumária, alguns dos ensaios que abordaram esse assunto nas últimas décadas a partir de variadas perspectivas, provocando às vezes debates de grande importância intelectual e política. Apesar de muito diferentes entre si e de constituírem apenas uma pequena amostra da abundante floração de ideias e teses que esse tema inspirou, todos têm um denominador comum, pois concordam que a cultura está atravessando uma crise profunda e entrou em decadência. O último deles, por outro lado, fala de uma nova cultura edificada sobre as ruínas daquela que ela veio a suplantar.

Começo essa revisão pelo célebre e polêmico pronunciamento de T. S. Eliot. Embora só transcorridos pouco mais de sessenta anos desde a publicação de seu ensaio *Notas para uma definição de cultura,* em 1948, quando o relemos hoje em dia temos a impressão de que ele se refere a um mundo remotíssimo, sem conexão com o atual.

T. S. Eliot garante que o propósito que o guia é apenas definir o conceito de cultura, mas, na verdade, sua ambição é mais ampla e consiste, ademais, em especificar o que essa palavra abrange, numa crítica penetrante do sistema cultural de sua época, que, segundo ele, se afasta cada vez mais do modelo ideal por ele representado no passado. Numa frase que então pareceu exagerada, ele acrescenta: "E não vejo razão alguma pela qual a decadência da cultura não possa continuar e não possamos prever um tempo, de alguma duração, que possa ser considerado desprovido de cultura"* (p. 19). (Antecipando-me sobre o conteúdo de *A civilização do espetáculo*, direi que esse tempo é o nosso.)

Esse modelo ideal, segundo Eliot, consiste numa cultura estruturada em três instâncias — indivíduo, grupo ou elite e sociedade em seu conjunto —, em que, embora haja intercâmbios entre as três, cada uma conserva certa autonomia e está em constante confronto com as outras, dentro de uma ordem graças à qual o conjunto social prospera e se mantém coeso.

T. S. Eliot afirma que a alta cultura é patrimônio de uma elite e defende que assim deve ser porque — afirma ele — "é condição essencial para a preservação da qualidade da cultura de minoria que

---

* Citação de acordo com a edição Faber and Faber de 1962. Todas as traduções para o espanhol são minhas.

ela continue sendo uma cultura minoritária" (p. 107). Tal como a elite, a classe social é uma realidade que deve ser mantida, pois nela se recruta e forma a casta ou o grupo que garante a alta cultura, elite que em caso algum deve identificar-se totalmente com a classe privilegiada ou aristocrática da qual seus membros procedem em maior número. Cada classe tem a cultura que produz e que lhe convém, e, embora entre elas naturalmente haja coexistência, também há diferenças marcantes relacionadas com a condição econômica de cada uma. Não se pode conceber uma cultura idêntica da aristocracia e do campesinato, por exemplo, embora ambas as classes compartilhem muitas coisas, como a religião e a língua.

Essa ideia de classe não é rígida nem impermeável para T. S. Eliot, mas aberta. Uma pessoa de uma classe pode passar para outra superior ou descer para uma inferior, e é bom que assim seja, embora isso constitua mais exceção que regra. Esse sistema garante uma ordem estável ao mesmo tempo que a expressa, mas na atualidade está prejudicado, o que gera incertezas sobre o futuro. A ingênua ideia de que, através da educação, se pode transmitir cultura à totalidade da sociedade está destruindo a "alta cultura", pois a única maneira de conseguir essa democratização universal da cultura é empobrecendo-a, tornando-a cada dia mais superficial. Assim como, segundo Eliot, é indispensável a existência de uma elite para a sua concepção de "alta cultura", também é indispensável que numa sociedade haja culturas regionais que alimentem a cultura nacional e, simultaneamente, façam parte dela, existam com seu próprio perfil e gozem de certa independência: "É importante que um homem se sinta não só cidadão de uma nação em particular, como também cidadão de um lugar específico de seu país, que tenha suas lealdades locais. Assim como a lealdade à sua própria classe, isso surge da lealdade à família" (p. 52).

A cultura se transmite através da família e, quando esta instituição deixa de funcionar de maneira adequada, o resultado "é a deterioração da cultura" (p. 43). Depois da família, a principal transmissora da cultura ao longo das gerações foi a Igreja, não a escola. Não se deve confundir cultura com conhecimento. "Cultura não é apenas a soma de diversas atividades, mas um estilo de vida" (p. 41), uma maneira de ser em que as formas têm tanta importância quanto o conteúdo. O conhecimento tem a ver com a evolução da técnica e das ciências; a cultura é algo anterior ao conhecimento, uma propensão do espírito, uma sensibilidade e um cultivo da forma, que dá sentido e orientação aos conhecimentos.

Cultura e religião não são a mesma coisa, mas não são separáveis, pois a cultura nasceu dentro da religião, e, embora com a evolução histórica da humanidade tenha ido se afastando parcialmente dela, sempre estará unida à sua fonte nutridora por uma espécie de cordão umbilical. A religião, "enquanto dura, e em seu próprio campo, dá um sentido conveniente à vida, proporciona o arcabouço para a cultura e protege a massa da humanidade do tédio e do desespero" (p. 33-34).

Quando fala de religião, T. S. Eliot refere-se fundamentalmente ao cristianismo, que, segundo diz, fez da Europa o que ela é. "Nossas artes desenvolveram-se dentro do cristianismo, as leis até há pouco enraizavam-se nele, e foi sobre o pano de fundo do cristianismo que se desenvolveu o pensamento europeu. Um europeu pode não crer que a fé cristã seja verdadeira, mas, mesmo assim, o que ele diz, aquilo em que acredita e o que faz provêm da fonte do legado cristão, e seu sentido depende dele. Só uma cultura cristã poderia ter produzido Voltaire ou Nietzsche. Não acredito que a cultura da Europa sobrevivesse ao desaparecimento da fé cristã" (p. 122).

A ideia de sociedade e de cultura de Eliot lembra a estrutura do céu, do purgatório e do inferno na *Commedia* de Dante, com seus círculos sobrepostos e suas rígidas simetrias e hierarquias, nas quais a divindade castiga o mal e premia o bem de acordo com uma ordem intocável.

Vinte anos depois da publicação do livro de Eliot, George Steiner respondeu em 1971 com *No castelo do Barba Azul: Algumas notas para a redefinição da cultura*. Em seu compacto e denso ensaio, ele se escandaliza com o fato de o grande poeta de *The Waste Land* ter podido escrever um tratado sobre a cultura assim que terminara a Segunda Guerra Mundial sem fazer relação alguma entre esse tema e as vertiginosas carnificinas dos dois conflitos mundiais, e, sobretudo, deixando de fazer uma reflexão sobre o Holocausto, extermínio de 6 milhões de judeus em que desembocou a longa tradição de antissemitismo da cultura ocidental. Steiner propõe-se remediar essa falha com uma análise da cultura que leve em conta primordialmente sua associação com a violência político-social.

Segundo ele, depois da Revolução Francesa, de Napoleão, das guerras napoleônicas, da Restauração e do triunfo da burguesia na Europa, instala-se no Velho Continente o grande *ennui* (tédio), feito de frustração, fastio, melancolia e secreto desejo de explosão, violência e cataclismo, cujo testemunho se encontra na melhor literatura europeia e em obras como *O mal-estar da cultura* de Freud. Os movimentos dadaísta e surrealista seriam a ponta de lança e a exacerbação máxima do fenômeno. Segundo Steiner, a cultura europeia não só anuncia, como também deseja que venha esse estouro sanguinário e purificador que serão as revoluções e as duas guerras mundiais. A cultura, em vez de impedir, provoca e celebra esses banhos de sangue.

Steiner insinua que a razão de Eliot não ter encarado "a fenomenologia dos assassinatos produzidos na Europa, desde o sul da Espanha até as fronteiras da Ásia russa entre 1936 e 1945"*

---

* Cito George Steiner, *En el castillo de Barba Azul. Aproximación a un nuevo concepto de cultura*, Barcelona: Editorial Gedisa, 2006. Todas as citações são dessa edição.

(p. 52), talvez seja seu antissemitismo, de âmbito privado a princípio, mas trazido a público por sua correspondência, depois que ele morreu. Seu caso não é infrequente, visto que houve "poucas tentativas de relacionar o fenômeno dominante da barbárie do século XX com uma teoria geral da cultura". E — acrescenta Steiner — "Parece-me irresponsável toda e qualquer teoria da cultura [...] que não tenha como eixo a consideração dos modos de terror que acarretaram a morte por obra da guerra, da fome e de matanças deliberadas de uns 70 milhões de seres humanos na Europa e na Rússia entre o começo da Primeira Guerra Mundial e o fim da Segunda" (p. 48-49).

A explicação de Steiner associa-se estreitamente à religião, que, a seu ver, está vinculada à cultura, tal como afirmou Eliot, mas sem a estreita dependência em relação à "disciplina cristã" que este defendeu, "o mais vulnerável aspecto de sua argumentação" (p. 118). Em sua opinião, a vontade que torna possível a grande arte e o pensamento profundo nasce de "uma aspiração à transcendência, é uma aposta em transcender" (p. 118). Esse é o aspecto religioso de toda cultura. Pois bem, a cultura ocidental está carregada de antissemitismo desde tempos imemoriais, e a razão disso é religiosa. Trata-se de uma resposta vingativa da humanidade não judia ao povo que inventou o monoteísmo, ou seja, a concepção de um deus único, invisível, inconcebível, onipotente e inalcançável para a compreensão e mesmo para a imaginação humana. O deus mosaico veio substituir aquele politeísmo de deuses e deusas acessíveis à multiplicidade humana, com os quais a diversidade existente de homens e mulheres podia acomodar-se e combinar. O cristianismo, segundo Steiner, com seus santos, o mistério da Trindade e o culto mariano, sempre foi "uma mistura híbrida de ideais monoteístas e práticas politeístas", e desse modo conseguiu resgatar algo daquela proliferação de divindades abolida pelo monoteísmo fundado por Moisés. O deus único e impensável dos judeus está fora da razão humana — só é acessível à fé — e foi ele que caiu, vítima dos *philosophes* do Iluminismo, convencidos de que com uma cultura laica e secularizada desapareceriam a violência e as matanças trazidas pelo fanatismo religioso, pelas práticas inquisitoriais e pelas guerras de religião. Mas a morte de Deus não significou o advento do paraíso na terra, e sim do inferno, já descrito no pesadelo dantesco da *Commedia* ou nos palácios e câmaras de prazer e tortura do marquês de Sade. O mundo, livre de Deus, foi sendo aos poucos dominado pelo diabo, pelo espírito do mal, pela crueldade e pela destruição, que atingirá seu paradigma com as carnificinas das conflagrações mundiais, os fornos crematórios nazistas e o Gulag soviético. Com este cataclismo acabou-se a cultura e começou a era da pós-cultura.

Steiner destaca a capacidade autocrítica enraizada na tradição ocidental. "Quais outras raças se mostraram penitentes com aqueles que elas escravizaram? Que outras civilizações acusaram moralmente o brilho de seu próprio passado? A reflexão que se perscrutar em nome de valores éticos absolutos é um ato caracteristicamente ocidental, pós-voltairiano" (p. 91).

Um dos traços da pós-cultura é não acreditar no progresso, é o eclipse da ideia segundo a qual a história traça uma curva ascendente, é o predomínio do *Kulturpessimismus* ou novo realismo estoico (p. 94). Curiosamente, essa atitude coexiste com a evidência de que no campo da técnica e da ciência nossa época produz milagres todos os dias. Mas o progresso moderno, agora sabemos, tem amiúde um custo destrutivo, por exemplo em danos irreparáveis à natureza e à ecologia, e nem sempre contribui para reduzir a pobreza, e sim para ampliar o abismo de desigualdades entre países, classes e pessoas.

A pós-modernidade destruiu o mito de que as humanidades humanizam. Não é indubitável aquilo em que acreditaram tantos educadores e filósofos otimistas, ou seja, que uma educação liberal, ao alcance de todos, garantiria um futuro de progresso, paz, liberdade e igualdade de oportunidades, nas democracias modernas: "...bibliotecas, museus, teatros, universidades, centros de investigação por meio dos quais se transmitem as humanidades e as ciências podem prosperar nas proximidades dos campos de concentração" (p. 104). Em um indivíduo, assim como na sociedade, chegam às vezes a coexistir alta cultura, sensibilidade, inteligência e fanatismo de torturador e assassino. Heidegger foi nazista, "e seu gênio não se deteve enquanto o regime nazista exterminava milhões de judeus nos campos de concentração" (p. 105).

Para esse pessimismo estoico da pós-cultura desapareceu a segurança que antes era dada por certas diferenças e hierarquias agora abolidas: "A linha divisória separava superior e inferior, maior e menor, civilização e primitivismo atrasado, instrução e ignorância, maturidade e imaturidade, homens e mulheres, e em cada caso estava implícita uma distinção de superioridade" (p. 109-110). A derrocada dessas distinções é agora o fato mais característico da atualidade cultural.

A pós-cultura, também chamada às vezes, significativamente, de "contracultura", critica o elitismo da cultura e a tradicional vinculação das artes, das letras e das ciências ao absolutismo político: "O que o elevado humanismo fez de bom para as massas oprimidas da comunidade? Que utilidade teve a cultura quando chegou a barbárie?" (p. 115).

Em seus capítulos finais, Steiner traça um esboço bastante sombrio do que poderia ser a evolução cultural, em que a tradição, deixando de vigorar, ficaria confinada ao repositório acadêmico: "Uma parte importante da poesia, do pensamento religioso e da arte já desapareceu da proximidade pessoal para passar à custódia dos especialistas" (p. 138). O que antes era vida ativa passará a ter a vida artificial do arquivo. E, ainda mais grave, a cultura será vítima — já está sendo — do que Steiner chama de "retirada da palavra". Na tradição cultural "o discurso falado, lembrado e escrito foi a espinha dorsal da consciência" (p. 138). Agora, a palavra está cada vez mais subordinada à imagem. E também à música, signo de identidade das novas gerações, cujas músicas pop, folk ou rock criam um espaço envolvente, um mundo no qual escrever, estudar e comunicar-se pessoalmente são coisas que "se desenvolvem num campo de vibrações estridentes" (p. 150). Que efeitos poderia ter sobre os recessos de nosso cérebro essa musicalização de nossa cultura?

Além da progressiva deterioração da palavra, Steiner indica como fatos eminentes de nosso tempo a preocupação com a natureza e a ecologia, bem como o prodigioso desenvolvimento das ciências — principalmente a matemática e as ciências naturais —, que foram revelando dimensões insuspeitadas da vida humana, do mundo natural e do espaço, criando técnicas capazes de alterar e manipular o cérebro e os comportamentos do ser humano. A cultura "livresca" a que Eliot se referia exclusivamente em seu livro vai perdendo vitalidade e existindo cada vez mais à margem da cultura de hoje, que rompeu quase totalmente com as humanidades clássicas — hebraica, grega e latina —, limitadas agora a alguns especialistas quase sempre inacessíveis em seus jargões herméticos e sua erudição asfixiante, quando não em teorias delirantes.

A parte mais polêmica do ensaio de Steiner afirma que a cultura pós-moderna exige do homem culto um conhecimento básico de matemática e ciências naturais que lhe permita entender as notáveis conquistas que o mundo científico realizou e continua realizando em nossos dias em todos os campos — químicos, físicos, astronômicos — e em suas aplicações, frequentemente tão prodigiosas quanto as invenções mais audazes da literatura fantástica. Essa proposta é uma utopia comparável às que Steiner deprecia em seu ensaio, pois, se já no passado recente era inimaginável um Pico della Mirandola contemporâneo, capaz de abarcar o conjunto de saberes de seu tempo, em nossos tempos essa ambição não parece possível nem para os computadores cuja infinita capacidade de armazenamento de dados desperta a admiração de Steiner. Pode ser que a cultura já não seja possível em nossa época, mas não será por essa razão, pois a ideia de cultura nunca significou quantidade de conhecimentos, e sim qualidade e sensibilidade. Tal como outros ensaios dele, este começa com os pés no chão e termina numa explosão de delírio intelectual.

Uns anos antes do ensaio de Steiner, em novembro de 1967, foi publicado em Paris o livro de Guy Debord, *La Société du Spectacle* (A sociedade do espetáculo), cujo título se parece com o deste livro, embora, na verdade, se trate de abordagens diferentes do tema da cultura. Debord, autodidata, vanguardista radical, heterodoxo, agitador e promotor das provocações contraculturais dos anos 1960, qualifica de "espetáculo" aquilo que Marx, em seus *Manuscritos econômicos e filosóficos* de 1844, chamou de "alienação" ou alheamento social resultante do fetichismo da mercadoria, que, no estágio industrial avançado da sociedade capitalista, atinge tal importância na vida dos consumidores que chega a substituir, como interesse ou preocupação central, qualquer outro assunto de ordem cultural, intelectual ou política. A aquisição obsessiva de produtos manufaturados, que mantenham ativa e crescente a fabricação de mercadorias, produz o fenômeno da "reificação" ou "coisificação" do indivíduo, entregue ao consumo sistemático de objetos, muitas vezes inúteis ou supérfluos, que as modas e a publicidade lhe vão impondo, esvaziando sua vida interior de preocupações sociais, espirituais ou simplesmente humanas, isolando-o e destruindo a consciência que ele tenha dos outros, de sua classe e de si mesmo; como consequência, por exemplo, o proletário "desproletarizado" pela alienação deixa de ser um perigo — e até um antagonista — para a classe dominante.

Essas ideias da juventude, que Marx nunca conseguiria aprofundar na maturidade, são o fundamento da teoria de Debord sobre nosso tempo. Sua tese central é que na sociedade industrial moderna, na qual o capitalismo triunfou, e a classe operária foi (pelo menos temporariamente) derrotada, a alienação — ilusão da mentira convertida em verdade — monopolizou a vida social, transformando-a numa representação em que tudo o que é espontâneo, autêntico e genuíno — a verdade do humano — foi substituído pelo artificial e pelo falso. Nesse mundo, as coisas — mercadorias — passaram a ser os verdadeiros donos da vida, os amos que os seres humanos servem para assegurar a produção que enriquece os proprietários das máquinas e as indústrias que fabricam tais mercadorias. "O espetáculo", diz Debord, "é a ditadura efetiva da ilusão na sociedade moderna" (proposição n.º 213).*

Embora em outros assuntos tome muitas liberdades com as teses marxistas, Debord aceita como verdades canônicas a teoria da história como luta de classes e a "reificação" ou "coisificação" do homem por obra do capitalismo que cria artificialmente necessidades, modas e apetites a fim de manter um mercado em expansão para os produtos manufaturados. Escrito em estilo impessoal e abstrato, seu livro é constituído por nove capítulos e 221 proposições, algumas breves como aforismos e quase sempre isentas de exemplos concretos. Seus raciocínios às vezes são de difícil compreensão em vista de sua prosa intrincada. Os temas especificamente culturais, referentes às artes e às letras, só tangencial-

---

* Guy Debord, *La Société du Spectacle*, Paris: Gallimard, Folio, 1992. Todas as traduções para o espanhol são minhas.

mente têm lugar em seu ensaio. Sua tese é econômica, filosófica e histórica, mais que cultural, aspecto este da vida que Debord, fiel também nisso ao marxismo clássico, reduz a superestrutura das relações de produção que constituem os alicerces da vida social.

A civilização do espetáculo, ao contrário, está cingida ao âmbito da cultura, não entendida como mero epifenômeno da vida econômica e social, mas como realidade autônoma, feita de ideias, valores estéticos e éticos, de obras artísticas e literárias que interagem com o restante da vida social e muitas vezes são a fonte, e não o reflexo, dos fenômenos sociais, econômicos, políticos e até religiosos.

O livro de Debord contém achados e intuições que coincidem com alguns temas ressaltados em meu ensaio, tal como a ideia de que substituir a vivência pela representação, fazer da vida uma espectadora de si mesma, implica um empobrecimento do humano (proposição n.º 30). O mesmo se diga de sua afirmação de que, num meio em que a vida deixou de ser vivenciada para ser apenas representada, vive-se "por procuração", como os atores vivem a vida fingida que encarnam num cenário ou numa tela. "O consumidor real torna-se um consumidor de ilusões" (proposição n.º 47). Essa lúcida observação seria mais que confirmada nos anos posteriores à publicação de seu livro.

Esse processo, diz Debord, tem como consequência a "futilização" que "domina a sociedade moderna", devido à multiplicação de mercadorias que o consumidor pode escolher e ao desaparecimento da liberdade, porque as trocas que ocorrem não são resultado de escolhas livres das pessoas, mas "do sistema econômico, do dinamismo do capitalismo".

Bem distante do estruturalismo, que ele chama de "sonho frio", Debord acrescenta que a crítica à sociedade do espetáculo só será possível se for feita como parte de uma crítica prática ao meio que a possibilita, prática no sentido de ação revolucionária decidida a acabar com a referida sociedade (proposição n.º 203). Nesse aspecto, sobretudo, suas teses e as deste livro se contrapõem frontalmente.

Numerosos trabalhos nos últimos anos procuraram definir as características distintivas da cultura de nosso tempo no contexto da globalização, da mundialização do capitalismo e dos mercados, bem como da extraordinária revolução tecnológica. Um dos mais perspicazes é o de Gilles Lipovetsky e Jean Serroy, *A cultura-mundo. Resposta a uma sociedade desorientada.** Ele defende a ideia de que em nossos dias há o enaltecimento de uma cultura global — a cultura-mundo — que, apoiando-se no progressivo apagamento das fronteiras operado pela ação dos mercados, da revolução científica e tecnológica (sobretudo no campo das comunicações), vem criando, pela primeira vez na história, alguns denominadores culturais dos quais participam sociedades e indivíduos dos cinco continentes, aproximando-os e igualando-os apesar das diferentes tradições, crenças e línguas que lhes são próprias. Essa cultura, diferentemente do que antes tinha esse nome, deixou de ser elitista, erudita e excludente e transformou-se em genuína "cultura de massas": "Em total oposição às vanguardas herméticas e elitistas, a cultura de massas quer oferecer ao público mais amplo possível novidades acessíveis que sirvam de entretenimento à maior quantidade possível de consumidores. Sua intenção é divertir e dar prazer, possibilitar evasão fácil e acessível para todos, sem necessidade de formação alguma, sem referentes culturais concretos e eruditos. O que as indústrias culturais inventam nada mais é que uma cultura transformada em artigos de consumo de massas" (p. 79).

---

* Gilles Lipovetsky/Jean Serroy, *La cultura-mundo. Respuesta a una sociedad desorientada*, Barcelona, Anagrama, Colección Argumentos, 2010. Todas as citações são dessa edição.

Esta cultura de massas, segundo os autores, nasce com o predomínio da imagem e do som sobre a palavra, ou seja, com a tela. A indústria cinematográfica, sobretudo a partir de Hollywood, "globaliza" os filmes, levando-os a todos os países, e, em cada país, a todas as camadas sociais, pois, tal como os discos e a televisão, os filmes são acessíveis a todos, não exigindo, para sua fruição, formação intelectual especializada de tipo nenhum. Esse processo se acelerou com a revolução cibernética, a criação das redes sociais e a universalização da internet. Não só a informação rompeu todas as barreiras e ficou ao alcance de todo o mundo, como também praticamente todos os setores da comunicação, da arte, da política, do esporte, da religião etc. sofreram os efeitos transformadores da telinha. "O mundo-tela deslocou, dessincronizou e desregulou o espaço-tempo da cultura" (p. 88).

Tudo isso está certo, sem dúvida. O que não está claro é se o que Lipovetsky e Serroy chamam de cultura-mundo ou cultura de massas — na qual incluem, por exemplo, até a "cultura das marcas" dos objetos de luxo — é cultura em sentido estrito, ou se nos referimos a coisas essencialmente diferentes quando falamos, por um lado, de uma ópera de Wagner e da filosofia de Nietzsche e, por outro, dos filmes de Hitchcock e de John Ford (dois dos meus cineastas preferidos) e de um anúncio da Coca-Cola. Eles dão como certo que sim, mas eu, ao contrário, acredito que entre ambas as coisas houve uma mutação ou salto qualitativo hegeliano, que transformou o segundo em algo de natureza diferente do primeiro. Nos dois primeiros capítulos deste livro explico por quê.

Por outro lado, algumas afirmações de *Cultura-mundo* me parecem discutíveis, como o fato de essa nova cultura planetária ter desenvolvido um individualismo extremo em todo o globo. Ao contrário, a publicidade e as modas que lançam e impõem os produtos culturais em nossos tempos são um sério obstáculo à criação de indivíduos independentes, capazes de julgar por si mesmos o que apreciam, admiram, acham desagradável e enganoso ou horripilante em tais produtos. A cultura-mundo, em vez de promover o indivíduo, imbeciliza-o, privando-o de lucidez e livre-arbítrio, fazendo-o reagir à "cultura" dominante de maneira condicionada e gregária, como os cães de Pavlov à campainha que anuncia a comida.

Outra afirmação de Lipovetsky e Serroy que se diria pouco procedente consiste em supor-se que, em vista de milhões de turistas visitarem o Louvre, a Acrópole e os anfiteatros gregos da Sicília, a cultura não perdeu valor em nosso tempo e ainda goza "de elevada legitimidade" (p. 118). Os autores não percebem que essas visitas de multidões a grandes museus e monumentos históricos clássicos não representam um interesse genuíno pela "alta cultura" (assim a chamam), mas mero esnobismo, visto que a visita a tais lugares faz parte da obrigação do perfeito turista pós-moderno. Em vez de despertar seu interesse pelo passado e pela arte clássica, exonera-o de estudá-los e conhecê-los com um mínimo de competência. Um simples relance basta para lhe dar boa consciência cultural. Essas visitas dos turistas "à cata de distrações" desnaturam o significado real desses museus e monumentos e os equiparam a outras obrigações do turista perfeito: comer macarrão e dançar uma tarantela na Itália, aplaudir o flamenco e o *cante hondo* em Andaluzia e experimentar escargots, ir ao Louvre assistir a um espetáculo do *Folies Bergère*, em Paris.

Em 2010 foi publicado na França pela Flammarion o livro *Mainstream*, do sociólogo Frédéric Martel, que, de certo modo, mostra que a "nova cultura" ou "cultura-mundo" de que falavam Lipovetsky e Serroy já ficou para trás, defasada pela frenética voragem de nosso tempo. O livro de Martel é fascinante e aterrorizante em sua descrição da "cultura do entretenimento" que substituiu quase universalmente aquilo que há apenas meio século se entendia por cultura. *Mainstream* é, na verdade, uma ambiciosa reportagem feita em grande parte do mundo, com centenas de entrevistas, sobre aquilo que, graças à globalização e à revolução audiovisual, é hoje em dia um denominador comum entre os povos dos cinco continentes, apesar das diferenças de línguas, religiões e costumes.

No livro de Martel não se fala de livros — o único citado em suas várias centenas de páginas é *O código Da Vinci* de Dan Brown; a única escritora citada é a crítica de cinema Pauline Kael —, nem de pintura ou escultura, nem de música ou dança clássicas, nem de filosofia e humanidades em geral, mas exclusivamente de filmes, programas de televisão, videogames, mangás, shows de rock, pop ou rap, vídeos e *tablets*, bem como das "indústrias criativas" que os produzem, patrocinam e promovem, ou seja, das diversões do grande público que foram substituindo a cultura do passado e acabarão por liquidá-la.

O autor vê com simpatia essa transformação, porque, graças a ela, a cultura *mainstream*, ou cultura do grande público, arrebatou a vida cultural à pequena minoria, que antes a monopolizava, e a democratizou, pondo-a ao alcance de todos; também porque os conteúdos dessa nova cultura lhe parecem em perfeita sintonia com a modernidade, com os grandes inventos científicos e tecnológicos da vida contemporânea.

As reportagens e os testemunhos coligidos por Martel, assim como suas próprias análises, são instrutivos e bastante representativos de uma realidade que até agora a sociologia e a filosofia não tinham se atrevido a reconhecer. A imensa maioria do gênero humano não pratica, não consome nem produz hoje outra forma de cultura que não seja aquela que, antes, era considerada pelos setores cultos, de maneira depreciativa, mero passatempo popular, sem parentesco algum com as atividades intelectuais, artísticas e literárias que constituíam a cultura. Esta já morreu, embora sobreviva em pequenos nichos sociais, sem influência alguma sobre o *mainstream*.

A diferença essencial entre a cultura do passado e o entretenimento de hoje é que os produtos daquela pretendiam transcender o tempo presente, durar, continuar vivos nas gerações futuras, ao passo que os produtos deste são fabricados para serem consumidos no momento e desaparecer, tal como biscoitos ou pipoca. Tolstoi, Thomas Mann e ainda Joyce e Faulkner escreviam livros que pretendiam derrotar a morte, sobreviver a seus autores, continuar atraindo e fascinando leitores nos tempos futuros. As telenovelas brasileiras e os filmes de Hollywood, assim como os shows de Shakira, não pretendem durar mais que o tempo da apresentação, desaparecendo para dar espaço a outros produtos igualmente bem-sucedidos e efêmeros. Cultura é diversão, e o que não é divertido não é cultura.

A pesquisa de Martel mostra que hoje esse fenômeno é planetário, algo que ocorre pela primeira vez na história, e dele participam os países desenvolvidos e subdesenvolvidos, não importando as diferenças entre tradições, crenças ou sistemas de governo, embora, logicamente, estas variantes introduzam, em cada país e sociedade, certas diferenças de detalhe e matiz em filmes, telenovelas, canções, mangás, animações etc.

Para essa nova cultura são essenciais a produção industrial maciça e o sucesso comercial. A distinção entre preço e valor se apagou, ambos agora são um só, tendo o primeiro absorvido e anulado o segundo. É bom o que tem sucesso e é vendido; mau o que fracassa e não conquista o público. O único valor é o comercial. O desaparecimento da velha cultura implicou o desaparecimento do velho conceito de valor. O único valor existente é agora o fixado pelo mercado.

De T. S. Eliot a Frédéric Martel a ideia de cultura experimentou muito mais que uma evolução paulatina: uma mudança traumática, da qual surgiu uma realidade nova em que restam apenas rastros da que foi substituída.

I. A civilização do espetáculo

Claudio Pérez, enviado especial de *El País* a Nova York para informar sobre a crise financeira, escreve em sua crônica da sexta-feira, 19 de setembro de 2008: "Os tabloides de Nova York estão como loucos em busca de um corretor da Bolsa que se atire no vazio do alto de algum dos imponentes arranha-céus que abrigam os grandes bancos de investimento, ídolos caídos que o furacão financeiro está transformando em cinzas." Vamos reter por um momento essa imagem na memória: uma multidão de fotógrafos, de paparazzi, espreitando as alturas, com as câmaras prontas, para captar o primeiro suicida que encarne de maneira gráfica, dramática e espetacular a hecatombe financeira que fez evaporar bilhões de dólares e mergulhou na ruína grandes empresas e inúmeros cidadãos. Não creio que haja imagem que resuma melhor a civilização de que fazemos parte.

Parece-me ser essa a melhor maneira de definirmos a civilização de nosso tempo, compartilhada pelos países ocidentais, pelos que atingiram altos níveis de desenvolvimento na Ásia e por muitos do chamado Terceiro Mundo.

O que quer dizer civilização do espetáculo? É a civilização de um mundo onde o primeiro lugar na tabela de valores vigente é ocupado pelo entretenimento, onde divertir-se, escapar do tédio, é a paixão universal. Esse ideal de vida é perfeitamente legítimo, sem dúvida. Só um puritano fanático poderia reprovar os membros de uma sociedade que quisessem dar descontração, relaxamento, humor e diversão a vidas geralmente enquadradas em rotinas deprimentes e às vezes imbecilizantes. Mas transformar em valor supremo essa propensão natural a divertir-se tem consequências inesperadas: banalização da cultura, generalização da frivolidade e, no campo da informação, a proliferação do jornalismo irresponsável da bisbilhotice e do escândalo.

O que fez o Ocidente ir resvalando para uma civilização desse tipo? O bem-estar que se seguiu aos anos de privações da Segunda Guerra Mundial e à escassez dos primeiros anos pós-guerra. Depois dessa etapa duríssima, seguiu-se um período de extraordinário desenvolvimento econômico. Em todas as sociedades democráticas e liberais da Europa e da América do Norte as classes médias cresceram como bola de neve, a mobilidade social se intensificou e, ao mesmo tempo, ocorreu notável abertura dos parâmetros morais, a começar pela vida sexual, tradicionalmente refreada pelas igrejas e pelo laicismo pudico das organizações políticas, tanto de direita como de esquerda. O bem-estar, a liberdade de costumes e o espaço crescente ocupado pelo ócio no mundo desenvolvido constituíram notável estímulo para a multiplicação das indústrias da diversão, promovidas pela publicidade, mãe e mestra de nosso tempo. Desse modo sistemático e ao mesmo tempo insensível, não se entediar e evitar o que perturba, preocupa e angustia passou a ser, para setores sociais cada vez mais amplos do vértice à base da pirâmide social, o preceito de toda uma geração, aquilo que Ortega e Gasset chamava de "espírito de nosso tempo", deus folgazão, amante do luxo e frívolo, ao qual todos, sabendo ou não, rendemos tributo há pelo menos meio século, e cada dia mais.

Outro fator, não menos importante, para que essa realidade fosse forjada foi a democratização da cultura. Trata-se de um fenômeno nascido de intenções altruístas: a cultura não podia continuar sendo patrimônio de uma elite; uma sociedade liberal e democrática tinha a obrigação moral de pôr a cultura ao alcance de todos, por meio da educação, mas também da promoção e da subvenção das artes, das letras e das demais manifestações culturais. Essa louvável filosofia teve o indesejado efeito de trivializar e mediocrizar a vida cultural, em que certa facilitação formal e superficialidade de conteúdo dos produtos culturais se justificavam em razão do propósito cívico de chegar à maioria. A quantidade em detrimento da qualidade. Esse critério, propenso às piores demagogias no âmbito político, provocou no âmbito cultural reverberações imprevistas, como o desaparecimento da alta cultura, obrigatoriamente minoritária em virtude da complexidade e às vezes do hermetismo de suas chaves e seus códigos, e a massificação da própria ideia de cultura. Esta passou a ter exclusivamente a acepção adotada no discurso antropológico. Ou seja, cultura são todas as manifestações da vida de uma comunidade: língua, crenças, usos e costumes, indumentária, técnicas e, em suma, tudo que nela se pratica, evita, respeita e abomina. Quando a ideia de cultura passa a ser um amálgama semelhante, é inevitável que ela possa chegar a ser entendida, apenas, como uma maneira agradável de passar o tempo. É óbvio que a cultura pode ser isso também, mas, se acabar sendo só isso, se desnaturará e depreciará: tudo o que faz parte dela se equipara e uniformiza ao extremo, de tal modo que uma ópera de Verdi, a filosofia de Kant, um show dos Rolling Stones e uma apresentação do Cirque du Soleil se equivalem.

Por isso, não é de estranhar que a literatura mais representativa de nossa época seja a literatura *light,* leve, ligeira, fácil, uma literatura que sem o menor rubor se propõe, acima de tudo e sobretudo (e quase exclusivamente), divertir. Atenção, não condeno nem de longe os autores dessa literatura de entretenimento, pois entre eles, apesar da leveza de seus textos, há verdadeiros talentos. Se em nossa época raramente são empreendidas aventuras literárias tão ousadas como as de Joyce, Virginia Woolf, Rilke ou Borges, isso não se deve apenas aos escritores; deve-se também ao fato de que a cultura em que vivemos imersos não propicia, ao contrário desencoraja, esses esforços denodados que culminam em obras que exigem do leitor uma concentração intelectual quase tão intensa quanto a que as possibilitou. Os leitores de hoje querem livros fáceis, que os distraiam, e essa demanda exerce uma pressão que se transforma em poderoso incentivo para os criadores.

Tampouco é casual o fato de a crítica ter quase desaparecido em nossos meios de informação, confinando-se a esses verdadeiros claustros que são as Faculdades de Humanidades e, em especial, os Departamentos de Filologia, cujos estudos são acessíveis apenas a especialistas. É verdade que os jornais e revistas mais sérios ainda publicam resenhas de livros, exposições e concertos, mas alguém lê esses paladinos solitários que tentam dar alguma ordem hierárquica a essa selva promíscua em que se transformou a oferta cultural de nossos dias? O certo é que a crítica, que na época de nossos avós e bisavós desempenhava papel fundamental no mundo da cultura por assessorar os cidadãos na difícil tarefa de julgar o que ouviam, viam e liam, hoje é uma espécie em extinção à qual ninguém faz caso, salvo quando se transforma, também ela, em diversão e espetáculo.

A literatura *light,* assim como o cinema *light* e a arte *light,* dá ao leitor e ao espectador a cômoda impressão de que é culto, revolucionário, moderno, de que está na vanguarda, com um mínimo esforço intelectual. Desse modo, essa cultura que se pretende avançada, de ruptura, na verdade propaga o conformismo através de suas piores manifestações: a complacência e a autossatisfação.

Na civilização de nossos dias é normal e quase obrigatório a culinária e a moda ocuparem boa parte das seções dedicadas à cultura, e os "chefs" e "estilistas" terem o protagonismo que antes tinham cientistas, compositores e filósofos. Fornos, fogões e passarelas confundem-se dentro das coordenadas culturais da época com livros, concertos, laboratórios e óperas, assim como os astros e estrelas da televisão e os grandes jogadores de futebol exercem sobre costumes, gostos e modas a influência antes exercida por professores, pensadores e (antes ainda) teólogos. Faz meio século, provavelmente, nos Estados Unidos era um Edmund Wilson, em seus artigos do *The New Yorker* ou *The New Republic,* quem decidia o fracasso ou o sucesso de um livro de poemas, um romance ou um ensaio. Hoje são os programas de televisão de Oprah Winfrey. Não digo que isso seja ruim. Digo, simplesmente, que é assim.

O vazio deixado pelo desaparecimento da crítica possibilitou que, insensivelmente, a publicidade o preenchesse e se transformasse atualmente não só em parte constitutiva da vida cultural, como também em seu vetor determinante. A publicidade exerce influência decisiva sobre os gostos, a sensibilidade, a imaginação e os costumes. A função antes desempenhada, nesse âmbito, por sistemas filosóficos, crenças religiosas, ideologias e doutrinas, bem como por aqueles mentores que na França eram conhecidos como os mandarins de uma época, hoje é exercida pelos anônimos "diretores de criação" das agências publicitárias. De certa forma era obrigatório que isso ocorresse a partir do momento em que a obra literária e artística passou a ser considerada um produto comercial, cuja sobrevivência ou extinção estaria em jogo nos vaivéns do mercado e nada mais, num período trágico em que *o preço* passou a se confundir com *o valor* de uma obra de arte. Quando uma cultura relega o exercício de pensar ao desvão das coisas fora de moda e substitui ideias por imagens, os produtos literários e artísticos são promovidos, aceitos ou rejeitados pelas técnicas publicitárias e pelos reflexos condicionados de um público que carece de defesas intelectuais e sensíveis para detectar os contrabandos e as extorsões de que é vítima. Por esse caminho, as estapafurdices indumentárias que um John Galliano punha para desfilar nas passarelas de Paris (antes de descobrirem que ele era antissemita) ou os experimentos da *nouvelle cuisine* alcançam o status de participantes honorários da alta cultura.

Esse estado de coisas impulsionou a exaltação da música, transformando-a em signo de identidade das novas gerações no mundo inteiro. As bandas e os cantores da moda reúnem multidões que ultrapassam todas as previsões em shows que, tal como as festas pagãs dionisíacas que na Grécia clássica celebravam a irracionalidade, são cerimônias coletivas de desregramento e catarse, culto aos instintos, às paixões e ao desvario. E o mesmo pode ser dito, é claro, das festas de massa com música eletrônica, as raves, nas quais se dança na escuridão ao som de música *trance* e se viaja graças ao ecstasy. Não é descabido equiparar essas celebrações às grandes festividades populares de índole religiosa de outrora: nelas se inverte, secularizado, o espírito religioso que, em sintonia com o viés vocacional da época, substituiu a liturgia e os catecismos das religiões tradicionais por manifestações de misticismo musical: assim, no compasso de vozes e instrumentos exacerbados, que os alto-falantes amplificam monstruosamente, o indivíduo se desindividualiza, transforma-se em massa e, de maneira inconsciente, volta aos tempos primitivos da magia e da tribo. Esse é o modo contemporâneo — muito mais divertido, por certo — de alcançar o êxtase que Santa Teresa ou São João da Cruz obtinham através de ascetismo, oração e fé. Na festa e no show de massas os jovens de hoje comungam, confessam-se, redimem-se, realizam-se e gozam desse modo intenso e elementar que consiste no esquecimento de si mesmo.

Massificação é outra característica, aliada à frivolidade, da cultura de nosso tempo. Atualmente os esportes ganharam uma importância que só tiveram na Grécia antiga. Para Platão, Sócrates, Aristóteles e demais frequentadores da Academia, o cultivo do corpo era simultâneo e complementar ao cultivo do espírito, pois acreditavam que ambos se enriqueciam mutuamente. A diferença em relação à nossa época é que agora, em geral, a prática dos esportes é feita em detrimento e em lugar do trabalho intelectual. Entre os esportes, nenhum sobressai tanto quanto o futebol, fenômeno de massas que, tal como os shows de música moderna, reúne multidões e as excita mais que qualquer outra mobilização de cidadãos: comícios políticos, procissões religiosas ou convocações cívicas. Certamente para os aficionados — eu sou um deles — um jogo de futebol pode ser um espetáculo estupendo, de destreza e harmonia de conjunto e desempenho individual, que entusiasma o espectador. Mas, em nossos dias, as grandes partidas de futebol, assim como outrora os circos romanos, servem sobretudo como pretexto e liberação do irracional, como regressão do indivíduo à condição de partícipe da tribo, como momento gregário em que, amparado no anonimato aconchegante da arquibancada, o espectador dá vazão a seus instintos agressivos de rejeição ao outro, conquista e aniquilação simbólica (e às vezes até real) do adversário. Os famosos grupos violentos de torcedores de certos clubes e os estragos que provocam com seus confrontos homicidas, incêndios de arquibancadas e dezenas de vítimas mostram que em muitos casos não é a prática de um esporte o que imanta tantos torcedores aos campos (quase sempre homens, embora seja cada vez maior o número de mulheres que frequentam os estádios), e sim um ritual que desencadeia no indivíduo instintos e pulsões irracionais que lhe permitem renunciar à sua condição civilizada e comportar-se durante a partida como parte da horda primitiva.

Paradoxalmente, o fenômeno da massificação é paralelo ao da ampliação do consumo de drogas em todos os níveis da pirâmide social. Está claro que o uso de entorpecentes tem antiga tradição no Ocidente, mas até há relativamente pouco tempo era prática quase exclusiva das elites e de setores reduzidos e marginais, como os círculos boêmios, literários e artísticos, em que, no século XIX, as flores artificiais tiveram cultores respeitáveis como Charles Baudelaire e Thomas de Quincey.

Na atualidade, a generalização do uso de drogas não é nada semelhante, não corresponde à exploração de novas sensações ou visões, empreendida com propósitos artísticos ou científicos. Também não é manifestação de rebeldia às normas estabelecidas, por parte de inconformistas empenhados em adotar formas alternativas de existência. Em nossos dias o consumo maciço de maconha, cocaína, ecstasy, crack, heroína etc. corresponde a um ambiente cultural que impele homens e mulheres a buscar prazeres fáceis e rápidos que os imunizem contra a preocupação e a responsabilidade, em lugar do encontro consigo mesmo através da reflexão e da introspecção, atividades eminentemente intelectuais que parecem enfadonhas à cultura volúvel e lúdica. Querer fugir ao vazio e à angústia provocada pelo sentimento de ser livre e de ter a obrigação de tomar decisões, como o que fazer de si mesmo e do mundo ao redor — sobretudo se este estiver enfrentando desafios e dramas —, é o que suscita essa necessidade de distração, motor da civilização em que vivemos. Para milhões de pessoas hoje as drogas, assim como as religiões e a alta cultura ontem, servem para aplacar as dúvidas e as perplexidades sobre a condição humana, a vida, a morte, o além, o sentido ou a falta de sentido da existência. Na exaltação, na euforia ou no sossego artificiais que produzem, elas conferem a momentânea segurança de sentir-se a salvo, redimido e feliz. Trata-se de uma ficção, não benigna, mas maligna nesse caso, que isola o indivíduo e que só na aparência o livra de problemas, responsabilidades e angústias. Porque no final tudo isso voltará a dominá-lo, exigindo doses cada vez maiores de aturdimento e superexcitação, que aprofundarão seu vazio espiritual.

Na civilização do espetáculo o laicismo ganhou terreno sobre as religiões, na aparência. E, entre os ainda crentes, aumentou o número daqueles que só o são de vez em quando e da boca para fora, de maneira superficial e social, ao passo que na maior parte da vida prescindem inteiramente da religião. O efeito positivo da secularização da vida é que a liberdade agora é mais profunda do que quando os dogmas e censuras eclesiásticas a delimitavam e asfixiavam. Mas equivoca-se quem acredita que, por haver hoje no mundo ocidental uma porcentagem menor que antes de católicos e protestantes, a religião foi desaparecendo nos setores conquistados pelo laicismo. Isso só ocorre nas estatísticas. Na verdade, ao mesmo tempo que muitos fiéis renunciavam às igrejas tradicionais, começaram a proliferar seitas, cultos e todas as espécies de formas alternativas de prática da religião, desde o espiritualismo oriental em todas as suas escolas e divisões — budismo, budismo zen, tantrismo, ioga — até as igrejas evangélicas que agora pululam e se dividem e subdividem nos bairros periféricos, além de pitorescos sucedâneos como Quarto Caminho, rosa-cruz, Igreja da Unificação — *moonies* —, cientologia, tão popular em Hollywood, e outras ainda mais exóticas e epidérmicas.*

---

* Cito a carta de um amigo colombiano: "A mim também chamou a atenção, sobretudo certa forma de neoindigenismo praticado, como nova moda, pelas classes altas e médias bogotanas (talvez também em outros países). Agora, em vez de padre ou de psicanalista, esses jovens têm xamã, e a cada 15 dias tomam santo-daime em cerimônias coletivas que têm finalidade terapêutica e espiritual. As pessoas que participam disso são, evidentemente, 'ateus': gente de cultura, artistas, antigos boêmios...".

A razão dessa proliferação de igrejas e seitas é que apenas setores muito reduzidos de seres humanos conseguem prescindir inteiramente da religião, que faz falta à imensa maioria, pois apenas a segurança transmitida pela fé religiosa acerca da transcendência e da alma a liberta do desassossego, do medo e do desvario em que a mergulha a ideia da extinção, do perecimento total. E, de fato, a única maneira como a maioria dos seres humanos entende e pratica uma ética é através de alguma religião. Só pequenas minorias se emancipam da religião, substituindo com a cultura o vazio que ela deixa em sua vida: filosofia, ciência, literatura e artes. Mas a cultura que pode cumprir esta função é a alta cultura, que enfrenta os problemas e não foge deles, que tenta dar respostas sérias, e não lúdicas, aos grandes enigmas, interrogações e conflitos que cercam a existência humana. A cultura de superfície e ouropel, de jogo e pose, é insuficiente para suprir certezas, mitos, mistérios e rituais das religiões que sobreviveram à prova dos séculos. Na sociedade de nosso tempo os entorpecentes e o álcool propiciam a momentânea tranquilidade de espírito e as certezas e alívios que outrora eram garantidos a homens e mulheres por rezas, confissão, comunhão e sermões dos párocos.

Também não é por acaso que os políticos em campanha, assim como no passado queriam ser fotografados e aparecer de braços dados com eminentes cientistas e dramaturgos, hoje procuram a adesão e o patrocínio dos cantores de rock e atores de cinema, bem como de celebridades do futebol e de outros esportes. Estes substituíram os intelectuais como mentores políticos dos setores médios e populares; encabeçam manifestos, que leem nas tribunas, e aparecem na televisão apregoando o que é bom e o que é ruim no campo econômico, político e social. Na civilização do espetáculo, o cômico é rei. Além do mais, a presença de atores e cantores não é importante apenas nessa periferia da vida política que é a opinião pública. Alguns participaram de eleições e, tal como Ronald Reagan e Arnold Schwarzenegger, chegaram a cargos tão importantes como a presidência dos Estados Unidos e o governo da Califórnia. Evidentemente, não excluo a possibilidade de atores de cinema e cantores de rock ou rap e futebolistas poderem dar estimáveis sugestões no campo das ideias, mas nego, sim, que o protagonismo político de que gozam hoje em dia tenha algo a ver com sua lucidez ou inteligência. Ele se deve exclusivamente à sua presença midiática e a suas aptidões histriônicas.

Porque um fato singular da sociedade contemporânea é o eclipse de um personagem que há séculos e até há relativamente poucos anos desempenhava papel importante na vida das nações: o intelectual. Consta que a denominação "intelectual" só nasceu no século XIX, durante o caso Dreyfus, na França, e as polêmicas desencadeadas por Émile Zola com seu célebre "Eu acuso", escrito em defesa daquele oficial judeu falsamente acusado de traição à pátria por uma conspiração de altos comandos antissemitas do Exército francês. Mas, embora o termo "intelectual" só tenha se popularizado a partir de então, é certo que a participação de homens de pensamento e criação na vida pública, nos debates políticos, religiosos e de ideias, remonta aos primórdios do Ocidente. Esteve presente na Grécia de Platão e na Roma de Cícero, no Renascimento de Montaigne e Maquiavel, no Iluminismo de Voltaire e Diderot, no Romantismo de Lamartine e Victor Hugo e em todos os períodos históricos que conduziram à modernidade. Paralelamente a seu trabalho de investigação, acadêmico ou criativo, bom número de escritores e pensadores destacados influiu com seus escritos, pronunciamentos e tomadas de posição nos acontecimentos políticos e sociais, como ocorria quando eu era jovem, na Inglaterra com Bertrand Russell, na França com Sartre e Camus, na Itália com Moravia e Vittorini, na Alemanha com Günter Grass e Enzensberger, e o mesmo em quase todas as democracias europeias. Basta pensar, na Espanha, nas intervenções de José Ortega y Gasset e Miguel de Unamuno na vida pública. Em nossos dias, o intelectual desapareceu dos debates públicos, pelo menos dos que importam. É verdade que alguns ainda assinam manifestos, enviam cartas a jornais e se metem em polêmicas, mas nada disso tem repercussão séria na marcha da sociedade, cujos assuntos econômicos, institucionais e até mesmo culturais são decididos pelo poder político e administrativo e pelos chamados poderes de fato, entre os quais os intelectuais são ilustres ausentes. Conscientes da posição secundária a que foram reduzidos pela sociedade na qual vivem, sua maioria optou pela discrição ou pela abstenção no debate público. Confinados em sua disciplina ou em seus afazeres particulares, dão as costas àquilo que há meio século se chamava "compromisso" cívico ou moral do escritor e do pensador com a sociedade. Há exceções, mas, entre elas, as que costumam contar — porque chegam à mídia — estão mais voltadas para a autopromoção e o exibicionismo do que para a defesa de algum princípio ou valor. Porque, na civilização do espetáculo, o intelectual só interessará se entrar no jogo da moda e se tornar bufão.

O que levou ao apoucamento e à volatilização do intelectual em nosso tempo? Uma razão que deve ser considerada é o descrédito em que várias gerações de intelectuais incidiram em virtude de suas simpatias pelos totalitarismos nazista, soviético e maoista, bem como de seu silêncio e cegueira diante de horrores como o Holocausto, o Gulag soviético e os massacres da Revolução Cultural chinesa. De fato, é desconcertante e assombroso que, em tantos casos, aquelas que pareciam ser as mentes privilegiadas da época tenham se aliado a regimes responsáveis por genocídios, horrendos atentados aos direitos humanos e pela abolição de todas as liberdades. Mas, na verdade, a real razão para a perda total do interesse do conjunto da sociedade pelos intelectuais é consequência direta do ínfimo valor que o pensamento tem na civilização do espetáculo.

Porque outra característica dela é o empobrecimento das ideias como força motriz da vida cultural. Hoje vivemos a primazia das imagens sobre as ideias. Por isso os meios audiovisuais, cinema, televisão e agora a internet, foram deixando os livros para trás, que, a se confirmarem as previsões pessimistas de George Steiner, dentro de não muito tempo estarão mortos e enterrados. (Os amantes da anacrônica cultura livresca, como eu, não devem lamentar, pois, em sendo assim, essa marginalização talvez tenha efeito depurador e aniquile a literatura do best-seller, chamada com justiça de subliteratura não só pela superficialidade de suas histórias e pela indigência formal, como também por seu caráter efêmero, de literatura de atualidade, feita para ser consumida e desaparecer, como sabonetes e refrigerantes.)

O cinema, que, evidentemente, sempre foi uma arte de entretenimento voltada para o grande público, teve também em seu seio, às vezes como corrente marginal e outras como central, grandes talentos que, apesar das difíceis condições em que os cineastas sempre precisaram trabalhar por razões de orçamento e dependência das produtoras, foram capazes de realizar obras de grande riqueza, profundidade e originalidade, com inequívoca marca pessoal. Mas, nossa época, em conformidade com a inflexível pressão da cultura dominante, que privilegia o engenho em vez da inteligência, as imagens em vez das ideias, o humor em vez da sisudez, o banal em vez do profundo e o frívolo em vez do sério, já não produz criadores como Ingmar Bergman, Luchino Visconti ou Luis Buñuel. Quem o cinema de nossos dias transforma em ícone? Woody Allen, que está para David Lean ou Orson Welles como Andy Warhol está para Gauguin ou para Van Gogh, em pintura, ou como Dario Fo para Tchekhov ou para Ibsen em teatro.

Também não surpreende que, na era do espetáculo, no cinema os efeitos especiais tenham passado a ter um protagonismo que relega a segundo plano temas, diretores, roteiros e até atores. Pode-se alegar que isso se deve em boa parte à prodigiosa evolução tecnológica dos últimos anos, que agora é possível fazer verdadeiros milagres no campo da simulação e da fantasia visuais. Em parte, sem dúvida. Mas, por outro lado, por acaso o principal, isso se deve a uma cultura que propicia o menor esforço intelectual, a ausência de preocupação, angústias e, em última instância, pensamento, em favor da entrega em atitude passiva àquilo que o agora esquecido Marshall McLuhan — sagaz profeta do caráter que a cultura de hoje adquiriria — chamava de "banho de imagens", essa entrega submissa a emoções e sensações desencadeadas por um bombardeio inusitado e muitas vezes brilhantíssimo de imagens que chamam a atenção, embora, com sua natureza primária e passageira, embotem a sensibilidade e o intelecto do público.

Quanto às artes plásticas, adiantaram-se a todas as outras expressões da vida cultural em assentar as bases da cultura do espetáculo, estabelecendo que a arte podia ser jogo e farsa, nada mais que isso. Desde que Marcel Duchamp — que, sem a menor dúvida, era um gênio — revolucionou os padrões artísticos do Ocidente estabelecendo que um mictório também é uma obra de arte, desde que assim seja decidido pelo artista, tudo passou a ser possível no âmbito da pintura e da escultura, até um magnata pagar 12 milhões e meio de euros por um tubarão conservado em formol num recipiente de vidro, e o autor dessa brincadeira, Damien Hirst, ser hoje reverenciado não como extraordinário vendedor de engodos, que é, mas como um grande artista de nosso tempo. Talvez seja, mas isso não depõe a seu favor, e sim contra os nossos tempos. Tempos em que o descaramento e a bravata, o gesto provocador e desprovido de sentido, com a cumplicidade das máfias que controlam o mercado de arte e dos críticos cúmplices ou otários, bastam às vezes para coroar falsos prestígios, conferindo o estatuto de artistas a ilusionistas que ocultam sua indigência e seu vazio por trás do embuste e da suposta insolência. Digo "suposta" porque o mictório de Duchamp tinha pelo menos a virtude da provocação. Em nossos dias, em que o que se espera dos artistas não é talento nem destreza, mas pose e escândalo, seus atrevimentos não passam de máscaras de um novo conformismo. O que antes era revolucionário virou moda, passatempo, brincadeira, ácido sutil que desnatura o fazer artístico e o transforma em apresentação de teatro Grand Guignol. Nas artes plásticas a frivolidade chegou a extremos alarmantes. O desaparecimento de consensos mínimos sobre os valores estéticos faz que nesse âmbito a confusão reine e continue reinando ainda por muito tempo, pois já não é possível discernir com certa objetividade o que é ter e o que é não ter talento, o que é belo e o que é feio, qual obra representa algo novo e duradouro e qual não passa de fogo de palha. Essa confusão transformou o mundo das artes plásticas num carnaval em que genuínos criadores e oportunistas embusteiros andam misturados, sendo frequentemente difícil distingui-los. Inquietante antecipação dos abismos a que pode chegar uma cultura que sofre de hedonismo barato e sacrifica ao divertimento qualquer outra motivação e desígnio. Num perspicaz ensaio sobre as arrepiantes derivas que a arte contemporânea chegou a tomar em casos extremos, Carlos Granés Maya cita "uma das performances mais abjetas de que se tem lembrança na Colômbia", a do artista Fernando Pertuz, que numa galeria de arte defecou diante do público e, depois, "com total solenidade", passou a ingerir suas fezes.*

---

* Carlos Granés Maya, "Revoluciones modernas, culpas posmodernas", *Antropología: horizontes estéticos*, org. Carmelo Lisón Tolosana, Barcelona, Editorial Anthropos: 2010, p. 227.

E, quanto à música, o equivalente do mictório de Marcel Duchamp é, sem dúvida, a composição do grande guru da modernidade musical nos Estados Unidos, John Cage, intitulada *4'33"* (1952), em que um pianista se sentava diante de um piano, mas não tocava nem uma tecla durante quatro minutos e 33 segundos, pois a obra consistia nos ruídos produzidos na sala pelo acaso e pelos ouvintes que achassem aquilo divertido ou exasperante. O objetivo do compositor e teórico era abolir os preconceitos que estabelecem distinções de valor entre o som e o barulho ou o ruído. Não há dúvida de que conseguiu.

Na civilização do espetáculo a política passou por uma banalização talvez tão pronunciada quanto a literatura, o cinema e as artes plásticas, o que significa que nela a publicidade e seus slogans, lugares-comuns, frivolidades, modas e manias, ocupam quase inteiramente a atividade antes dedicada a razões, programas, ideias e doutrinas. O político de nossos dias, se quiser conservar a popularidade, será obrigado a dar atenção primordial ao gesto e à forma, que importam mais que valores, convicções e princípios.

Cuidar de rugas, calvície, cabelos brancos, tamanho do nariz e brilho dos dentes, assim como do modo de vestir, vale tanto (e às vezes mais) quanto explicar o que o político se propõe fazer ou desfazer na hora de governar. A entrada da modelo e cantora Carla Bruni no Palácio do Eliseu como Madame Sarkozy e a pirotecnia midiática que veio junto e não para de espocar mostram que nem a França, país que se gabava de manter viva a velha tradição da política como atividade intelectual, cotejo de doutrinas e ideias, conseguiu resistir, sucumbindo também à frivolidade universalmente reinante.

(Entre parênteses, talvez convenha explicar com mais precisão o que entendo por frivolidade. Os dicionários chamam de frívolo o leviano, volúvel e superficial, mas nossa época atribuiu uma conotação mais complexa a essa maneira de ser. Frivolidade consiste em ter uma tabela de valores invertida ou desequilibrada, em que a forma importa mais que o conteúdo, e a aparência, mais que a essência, em que o gesto e o descaramento — a representação — ocupam o lugar de sentimentos e ideias. Num romance medieval que admiro, *Tirante o branco* [*Tirant lo Blanc*, em catalão], a esposa de Guy de Warwick [Guillem de Vàroic, em catalão] dá uma bofetada no filho, um menininho recém--nascido, para fazê-lo chorar pela partida do pai para Jerusalém. Nós, leitores, rimos, achando engraçado esse disparate, como se as lágrimas arrancadas à pobre criatura pela bofetada pudessem ser confundidas com o sentimento de tristeza. Mas nem a dama nem os personagens que contemplam a cena riem, porque para eles pranto — forma pura — é tristeza. E não há outra maneira de estar triste senão chorando — "derramando vivas lágrimas", diz o romance —, pois neste mundo é a forma que conta, e a serviço dela estão os conteúdos dos atos. Isso é frivolidade, maneira de entender o mundo, a vida, segundo a qual tudo é aparência, ou seja, teatro, ou seja, brincadeira e diversão.)

Comentando a fugaz revolução zapatista do subcomandante Marcos em Chiapas — revolução que Carlos Fuentes chamou de primeira "revolução pós-moderna", apelativo só admissível em sua acepção de mera representação sem conteúdo nem transcendência, montada por um especialista em técnicas de publicidade —, Octavio Paz indicou com exatidão o caráter efêmero, imediatista, das ações (ou melhor, simulacros) dos políticos contemporâneos: "Mas a civilização do espetáculo é cruel. Os espectadores não têm memória; por isso também não têm remorsos nem verdadeira consciência. Vivem presos à novidade, não importa qual, contanto que seja nova. Esquecem depressa e passam sem pestanejar das cenas de morte e destruição da guerra do Golfo Pérsico às curvas, contorções e trêmulos de Madonna e Michael Jackson. Comandantes e bispos estão fadados à mesma sorte; também eles são aguardados pelo Grande Bocejo, anônimo e universal, que é o Apocalipse e o Juízo Final da sociedade do espetáculo.*

No âmbito do sexo nossa época passou por transformações notáveis, graças à progressiva liberalização dos antigos preconceitos e tabus de caráter religioso que mantinham a vida sexual dentro de um torniquete de proibições. Nesse campo, sem dúvida, no mundo ocidental houve progressos, com a aceitação das uniões livres, a redução da discriminação machista contra mulheres, gays e outras minorias sexuais que pouco a pouco vão sendo integradas na sociedade que, às vezes a contragosto, começa a reconhecer o direito à liberdade sexual entre adultos. Está claro que a contrapartida dessa emancipação sexual foi, também, a banalização do ato sexual, que, para muitos, sobretudo nas novas gerações, se converteu em esporte ou passatempo, numa atividade compartilhada que não tem mais importância que a ginástica, a dança ou o futebol, quando não menos. Em termos de equilíbrio psicológico e emocional, essa frivolização do sexo talvez seja saudável, embora devêssemos refletir sobre o fato de que, numa época como a nossa, de notável liberdade sexual, mesmo nas sociedades mais abertas não houve diminuição no número de crimes sexuais e talvez tenha havido aumento. O sexo *light* é o sexo sem amor e sem imaginação, o sexo puramente instintivo e animal. Desafoga uma necessidade biológica, mas não enriquece a vida sensível e emocional, nem estreita a relação do casal para além do embate carnal; em vez de livrar o homem ou a mulher da solidão, passado o ato urgente e fugaz do amor físico, devolve-os à solidão com uma sensação de fracasso e frustração.

O erotismo desapareceu, tanto quanto a crítica e a alta cultura. Por quê? Porque o erotismo, que transforma o ato sexual

---

* Paz, Octavio, "Chiapas: hechos, dichos y gestos", *Obra completa*, V, 2ª edição, Barcelona, Galaxia Gutenberg/Círculo de Lectores: 2002, p. 546.

numa obra de arte, num ritual que a literatura, as artes plásticas, a música e uma refinada sensibilidade impregnam de imagens de elevado virtuosismo estético, é a própria negação desse sexo fácil, expeditivo e promíscuo no qual desembocou paradoxalmente a liberdade conquistada pelas novas gerações. O erotismo existe como contrapartida ou como desacato à norma, é uma atitude de desafio aos costumes estabelecidos e, por isso mesmo, implica segredo e clandestinidade. Trazido a público, vulgarizado, degrada-se e eclipsa-se, não realiza a desanimalização e a humanização espiritual e artística da atividade sexual que outrora possibilitou. Produz pornografia, barateamento insolente e canalha daquele erotismo que, no passado, irrigou uma corrente riquíssima de obras na literatura e nas artes plásticas, que, inspiradas nas fantasias do desejo sexual, produziam memoráveis criações estéticas, desafiavam o statu quo político e moral, lutavam pelo direito dos seres humanos ao prazer e dignificavam um instinto animal, transformando-o em obra de arte.

De que maneira o jornalismo influiu na civilização do espetáculo e esta naquele?

A fronteira que tradicionalmente separava o jornalismo sério do sensacionalista e marrom foi perdendo nitidez, enchendo-se de buracos, até se evaporar em muitos casos, a tal ponto que em nossos dias é difícil estabelecer diferença nos vários meios de informação. Porque uma das consequências de transformar o entretenimento e a diversão em valor supremo de uma época é que, no campo da informação, isso também vai produzindo, imperceptivelmente, uma perturbação subliminar das prioridades: as notícias passam a ser importantes ou secundárias sobretudo, e às vezes exclusivamente, não tanto por sua significação econômica, política, cultural e social, quanto por seu caráter novidadeiro, surpreendente, insólito, escandaloso e espetacular. Sem que isso tenha sido proposto, o jornalismo de nossos dias, acompanhando o preceito cultural imperante, procura entreter e divertir informando; assim, graças a essa sutil deformação de seus objetivos tradicionais, o resultado inevitável é fomentar uma imprensa também *light*, leve, amena, superficial e divertida que, nos casos extremos, se não tiver à mão informações dessa índole para passar, as fabricará por conta própria.

Por isso, não devemos nos surpreender se os casos mais notáveis de conquista de grandes públicos por órgãos de imprensa hoje não são alcançados pelas publicações sérias, que buscam rigor, verdade e objetividade na descrição da atualidade, e sim pelas chamadas "revistas de celebridades", as únicas que, com suas edições milionárias, desmentem o axioma de que em nossa época o jornalismo impresso está encolhendo e recuando diante da competência do audiovisual e do digital. Isso só vale para a imprensa que, remando contra a corrente, ainda tenta ser responsável, informar em vez de entreter ou divertir o leitor. Mas o que dizer de um fenômeno como a *¡Hola!*?* Essa revista, que agora é publicada não só em espanhol, mas em 11 idiomas, é avidamente lida — talvez seja mais exato dizer folheada — por milhões de leitores no mundo inteiro — entre eles os dos países mais cultos do planeta, como Canadá e Inglaterra —, que, como está demonstrado, se divertem muito com as notícias sobre o modo como os ricos, vencedores e famosos deste vale de lágrimas se casam, se descasam, se recasam, se vestem, se desvestem, brigam, se reconciliam, gastam milhões, têm caprichos e gostos, desgostos e maus gostos. Eu morava em Londres, em 1989, quando surgiu a versão inglesa da revista *¡Hola!*, *Hello!*, e vi com meus próprios olhos a vertiginosa rapidez com que aquela criatura jornalística espanhola conquistou a terra de Shakespeare. Não é exagerado dizer que a revista *¡Hola!* e seus congêneres

*A versão espanhola da revista *Caras*. (N. da E.)

são os produtos jornalísticos mais genuínos da civilização do espetáculo.

Transformar informação em instrumento de diversão é abrir aos poucos as portas da legitimidade para aquilo que, antes, se confinava num jornalismo marginal e quase clandestino: escândalo, deslealdade, bisbilhotice, violação da privacidade, quando não — em casos piores — difamações, calúnias e notícias infundadas.

Porque não existe forma mais eficaz de entreter e divertir do que alimentar as paixões baixas do comum dos mortais. Entre estas ocupa lugar de destaque a revelação da intimidade do próximo, sobretudo se figura pública, conhecida e prestigiada. Este é um esporte que o jornalismo de nossos dias pratica sem escrúpulos, amparado no direito à liberdade de informação. Embora existam leis a respeito e algumas vezes — raras — haja processos e sentenças judiciais que penalizam os excessos, trata-se de um costume cada vez mais generalizado, que conseguiu, de fato, fazer que em nossa época a privacidade desaparecesse, que nenhum recôndito da vida de quem quer que ocupe a cena pública esteja livre de ser averiguado, revelado e explorado com o fim de saciar a fome voraz de entretenimento e diversão que jornais, revistas e noticiários são obrigados a levar em conta se quiserem sobreviver e não ser alijados do mercado. Ao mesmo tempo que atuam assim, em resposta a uma exigência de seu público, os órgãos de imprensa, sem quererem e saberem, contribuem mais que ninguém para consolidar essa civilização *light* que deu à frivolidade a supremacia que antes tiveram as ideias e as realizações artísticas.

Num de seus últimos artigos, "Não há piedade para Ingrid nem Clara",* Tomás Eloy Martínez indignava-se com o assédio a que os jornalistas da imprensa marrom submeteram Ingrid Be-

---

* *El País*, Madri, 6 de setembro de 2008.

tancourt e Clara Rojas, ao serem libertadas, depois de seis anos nas selvas colombianas sequestradas pelas FARC, com perguntas cruéis e estúpidas, como se tinham sido violentadas, se tinham visto outras prisioneiras serem violentadas, ou — a Clara Rojas — se havia tentado afogar num rio o filho que tivera com um guerrilheiro. "Esse jornalismo", escrevia Tomás Eloy Martínez", continua se esforçando por transformar as vítimas em peças de um espetáculo que se apresenta como informação necessária, mas cuja única função é satisfazer a curiosidade perversa dos consumidores do escândalo". Seu protesto era justo, evidentemente. Seu erro consistia em supor que "a curiosidade perversa dos consumidores do escândalo" é patrimônio de uma minoria. Não é verdade: essa curiosidade corrói as vastas maiorias a que nos referimos quando falamos de "opinião pública". Essa vocação maledicente, escabrosa e frívola, dá o tom cultural de nosso tempo, e é sua imperiosa demanda que toda a imprensa, tanto a séria quanto a descaradamente sensacionalista, se vê obrigada a atender, em graus diversos e com habilidades e formas diferentes.

Outro material que ameniza muito a vida das pessoas é a catástrofe. Todas elas, desde terremotos e maremotos até crimes em série, principalmente se neles houver agravantes de sadismo e perversões sexuais. Por isso, em nossa época, nem a imprensa mais responsável pode evitar que suas páginas se tinjam de sangue, cadáveres e pedófilos. Porque esse é um alimento mórbido exigido e reivindicado pela fome de espanto, que inconscientemente pressiona os meios de comunicação por parte do público leitor, ouvinte e espectador.

Toda generalização é falaciosa, e não se pode pôr todos igualmente no mesmo saco. Evidentemente, há diferenças, e alguns meios de comunicação tentam resistir à pressão sob a qual atuam, sem renunciar aos velhos paradigmas de seriedade, objetividade, rigor e fidelidade à verdade, embora isso seja enfadonho e provoque nos leitores e ouvintes o Grande Bocejo de que falava Octavio Paz. Estou assinalando uma tendência que marca o fazer jornalístico de nosso tempo, sem deixar de reconhecer que há diferenças de profissionalismo, consciência e comportamento ético entre os diversos órgãos de imprensa. Mas a triste verdade é que nenhum jornal, revista e noticiário de hoje poderá sobreviver — conservar um público fiel — se desobedecer cabalmente às características distintivas da cultura predominante da sociedade e do tempo em que atua. Evidentemente, os grandes órgãos de imprensa não são meros cata-ventos que decidem sua linha editorial, conduta moral e prioridades informativas exclusivamente em função das pesquisas das agências sobre os gostos do público. Sua função é, também, orientar, assessorar, educar e esclarecer o que é verdadeiro ou falso, justo e injusto, bonito e execrável no vertiginoso vórtice da atualidade, em que o público se sente perdido. Mas, para que essa função seja possível, é preciso ter um público. E o jornal ou programa que não rezar no altar do espetáculo hoje corre o risco de perdê-lo e ficar falando para fantasmas.

Não está em poder do jornalismo por si só mudar a civilização do espetáculo, que ele contribuiu para forjar. Essa é uma realidade enraizada em nosso tempo, a certidão de nascimento das novas gerações, uma maneira de ser, de viver e talvez de morrer do mundo que nos coube, a nós, felizes cidadãos destes países, a quem a democracia, a liberdade, as ideias, os valores, os livros, a arte e a literatura do Ocidente ofereceram o privilégio de transformar o entretenimento passageiro na aspiração suprema da vida humana e o direito de contemplar com cinismo e desdém tudo o que aborreça, preocupe e lembre que a vida não só é diversão, mas também drama, dor, mistério e frustração.

Antecedentes

Pedra de Toque
Cocô de elefante

Na Inglaterra, embora você não acredite, ainda são possíveis os escândalos artísticos. A respeitabilíssima Royal Academy of Arts, instituição privada cuja fundação data de 1768, que, em sua galeria de Mayfair, costuma apresentar retrospectivas de grandes clássicos ou de modernos sacramentados pela crítica, protagoniza nestes dias um escândalo que faz as delícias da imprensa e dos filisteus que não perdem tempo em exposições. Mas, graças ao escândalo, a esta eles irão em massa, possibilitando desse modo — não há mal que não venha para o bem — que a pobre Royal Academy supere por mais algum tempinho seus crônicos apertos econômicos.

Terá sido com esse objetivo em mente que organizou a exposição Sensation, *com obras de jovens pintores e escultores britânicos da coleção do publicitário Charles Saatchi? Se assim foi, muito bem, sucesso total. É certo que as massas acorrerão para contemplar, ainda que de nariz tapado, as obras do jovem Chris Ofili, de 29 anos, aluno do Royal College of Art, astro de sua geração, segundo um crítico, que monta suas obras sobre bases de cocô de elefante solidificado. Não foi por essa particularidade, porém, que Chris Ofili chegou às manchetes dos tabloides, mas por sua peça blasfematória* Santa Virgem Maria, *na qual a mãe de Jesus aparece rodeada de fotos pornográficas.*

Mas não é esse quadro o que gerou mais comentários. Os louros couberam ao retrato de uma famosa infanticida, Myra Hindley, que Marcus Harvey, astuto artista, compôs com a impressão de mãos infantis. Outra originalidade da exposição resulta da colaboração de Jake e Dinos Chapman; a obra chama-se Aceleração Zigótica *e — conforme indica o título — abre um grupo de crianças andróginas cujos rostos são, na verdade, falos eretos. Nem é preciso dizer que contra os inspirados autores foi feita a infamante acusação de pedofilia. Se a exposição for realmente representativa do que estimula e preocupa os jovens artistas da Grã-Bretanha, é de se concluir que a obsessão genital encabeça sua lista de prioridades. Por exemplo, Mat Collishaw perpetrou um óleo que descreve, num primeiro plano gigante, o impacto de uma bala no cérebro humano; mas o que o espectador vê, na realidade, é uma vagina e uma vulva. E o que dizer do audaz montador que abarrotou urnas de cristal com ossos humanos e, pelo visto, até com resíduos de um feto?*

O notável na questão não é que produtos desse jaez cheguem a introduzir-se nas salas de exposições mais ilustres, mas que haja pessoas que ainda se surpreendem com eles. No que me diz respeito, percebi que algo estava podre no mundo da arte há exatamente 37 anos, em Paris, quando um bom amigo, escultor cubano, cansado das negativas das galerias em expor as esplêndidas madeiras que eu o via trabalhar de sol a sol em sua mansarda, decidiu que o caminho mais seguro para o sucesso em matéria de arte era chamar a atenção. E, dito e feito, produziu umas "esculturas" que consistiam em pedaços de carne podre, fechados em caixas de vidro, com moscas vivas esvoaçando ao redor. Uns alto-falantes asseguravam que o zumbido das moscas ressoasse por todo o local como uma ameaça aterrorizante. Triunfou, de fato, pois até um figurão da Rádio e Televisão Francesa, Jean-Marie Drot, o convidou para seu programa.

A mais inesperada e truculenta consequência da evolução da arte moderna e da miríade de experimentos que a alimentam é que já não existe critério objetivo algum que permita qualificar ou desqualificar uma obra de arte, nem situá-la dentro de uma hierarquia, possibilidade esta que se foi eclipsando a partir da revolução cubista e desapareceu totalmente com a não figuração. Na atualidade tudo *pode ser arte e* nada *é arte, segundo o soberano capricho dos espectadores, que, em razão do naufrágio de todos os padrões estéticos, foram elevados ao nível de árbitros e juízes que outrora só alguns críticos possuíam. O único critério mais ou menos generalizado para as obras de arte na atualidade não tem nada de artístico; é o critério imposto por um mercado controlado e manipulado por máfias de galeristas e marchands que de maneira alguma revela gostos e sensibilidades estéticas, mas apenas operações publicitárias, de relações públicas e em muitos casos simples assaltos.*

Há mais ou menos um mês visitei pela quarta vez na vida (mas essa terá sido a última) a Bienal de Veneza. Fiquei lá algumas horas, acredito, e ao sair concluí que não teria aberto as portas de minha casa a nenhum daqueles quadros, esculturas e objetos que havia visto nos cerca de vinte pavilhões que percorrera. O espetáculo era tão enfadonho, farsesco e desolador quanto a exposição da Royal Academy, mas multiplicado por cem e com dezenas de países representados na patética farsada, onde, a pretexto de modernidade, experimentalismo e busca de "novos meios de expressão", na verdade se documentava a terrível orfandade de ideias, cultura artística, habilidade artesanal, autenticidade e integridade que caracteriza boa parte das artes plásticas em nossos dias.

Evidentemente, há exceções. Mas não é nada fácil detectá-las, porque, diferentemente do que ocorre com a literatura, campo no qual ainda não desmoronaram totalmente os códigos estéticos que possibilitam identificar originalidade, novidade, talento, desenvoltura formal ou vulgaridade e fraude, no qual ainda existem — por quanto tempo ainda?— editoras que mantêm critérios coerentes e de alto nível, no caso da pintura o que está podre até a medula é o sistema, e muitas vezes os artistas mais dotados e autênticos não encontram caminho para o público, por serem insubornáveis ou sim-

plesmente inaptos para lutar na selva desonesta na qual se decidem os sucessos e fracassos artísticos.

A poucos quarteirões da Royal Academy, em Trafalgar Square, no pavilhão moderno da National Gallery, há uma pequena exposição que deveria ser obrigatória para todos os jovens atuais que tenham aspirações a pintar, esculpir, compor, escrever ou filmar. Chama-se Seurat e os banhistas *e tem como tema o quadro* Banhistas em Asnières, *um dos dois mais famosos que aquele artista pintou (o outro é* Uma tarde de domingo na ilha Grande Jatte*), entre 1883 e 1884. Embora tenha dedicado uns dois anos de sua vida a essa extraordinária tela, durante os quais, como informa a exposição, fez inúmeros esboços e estudos do conjunto e dos detalhes do quadro, na verdade a exposição prova que toda a vida de Seurat foi uma lenta, teimosa, insone e fanática preparação para chegar a atingir aquela perfeição formal que ele plasmou nessas duas obras mestras.*

Em Banhistas em Asnières *essa perfeição nos maravilha — e, de certo modo, deslumbra — na quietude das figuras que tomam banho de sol, de rio ou contemplam a paisagem, sob aquela luz zenital que parece estar dissolvendo em brilhos de miragem a ponte remota, a locomotiva que a cruza e as chaminés de Passy. Essa serenidade, esse equilíbrio, essa harmonia secreta entre homem e água, nuvem e veleiro, trajes e remos, são, sim, manifestação de um domínio absoluto do instrumento, do traço da linha e do uso das cores, conquistado através do esforço; mas, tudo isso denota também uma concepção elevadíssima, nobilíssima, da arte de pintar, como fonte autossuficiente de prazer e como realização do espírito, que encontra em seu próprio fazer a melhor recompensa, uma vocação que em seu exercício se justifica e engrandece. Quando terminou esse quadro, Seurat tinha apenas 24 anos, ou seja, a média de idade desses jovens barulhentos da exposição* Sensation *da Royal Academy; viveu só seis anos mais. Sua obra, brevíssima, é um dos fanais artísticos do século XIX. A admiração que ela desperta em nós não deriva apenas da habilida-*

de técnica, do minucioso artesanato, que nela se reflete. Anterior a tudo isso e como que a sustentar e potencializar tais coisas, há uma atitude, uma ética, uma maneira de assumir a vocação em função de um ideal, sem as quais é impossível um criador chegar a vencer e ampliar os limites de uma tradição, como fez Seurat. Essa maneira de "eleger-se artista" parece ter sido perdida para sempre entre os jovens impacientes e cínicos de hoje que aspiram a tocar a glória a todo custo, mesmo que seja subindo num monte de merda de paquiderme.

El País, *Madri, 21 de setembro de 1997*

II. Breve discurso sobre a cultura

Ao longo da história, a noção de cultura teve diversos significados e matizes. Durante muitos séculos foi um conceito inseparável da religião e do conhecimento teológico; na Grécia, este foi marcado pela filosofia, e em Roma, pelo direito, ao passo que no Renascimento foi impregnado principalmente pela literatura e pelas artes. Em épocas mais recentes, como o Iluminismo, foram a ciência e as grandes descobertas científicas que deram o rumo principal à ideia de cultura. Mas, apesar dessas variantes, até nossa época cultura sempre significou uma soma de fatores e disciplinas que, segundo amplo consenso social, a constituíam e eram por ela implicados: reivindicação de um patrimônio de ideias, valores e obras de arte, de conhecimentos históricos, religiosos, filosóficos e científicos em constante evolução, fomento da exploração de novas formas artísticas e literárias e da investigação em todos os campos do saber.

A cultura sempre estabeleceu categorias sociais entre as pessoas que a cultivavam, a enriqueciam com contribuições diversas e faziam-na progredir e pessoas que não queriam saber dela, que a desprezavam ou ignoravam, ou então eram dela excluídas por razões sociais e econômicas. Em todas as épocas históricas, até a nossa, numa sociedade havia pessoas cultas e incultas, e, entre ambos os extremos, pessoas mais ou menos cultas ou mais ou menos incultas, e essa classificação era bastante clara para o mundo inteiro porque para todos vigorava um mesmo sistema de valores, critérios culturais e maneiras de pensar, julgar e comportar-se.

Em nosso tempo tudo isso mudou. A noção de cultura ampliou-se tanto que, embora ninguém se atreva a reconhecer explicitamente, desvaneceu-se. Transformou-se num fantasma inapreensível, de massas, metafórico. Porque ninguém será culto, se todos acreditarem que o são ou se o conteúdo do que chamamos de cultura tiver sido degradado de tal modo que todos possam justificadamente acreditar que são cultos.

O sinal mais remoto desse processo de progressivo empastelamento e confusão daquilo que uma cultura representa foi dado pelos antropólogos, inspirados, com a melhor boa-fé do mundo, pela vontade de respeitar e compreender as sociedades primitivas por eles estudadas. Estabeleceram que cultura é a soma de crenças, conhecimentos, linguagens, costumes, indumentária, usos, sistemas de parentesco, em resumo, tudo o que um povo diz, faz, teme ou adora. Essa definição não se limitava a estabelecer um método para explorar a especificidade de um conglomerado humano em relação com os demais. Queria também, já de saída, abjurar o etnocentrismo preconceituoso e racista de que o Ocidente nunca se cansou de recriminar-se. O propósito não podia ser mais generoso, mas, como já sabemos pelo famoso ditado, de boas intenções o inferno está cheio. Porque uma coisa é acreditar que todas as culturas merecem consideração, visto que em todas há contribuições positivas para a civilização humana, e outra, muito diferente, é acreditar que todas elas se equivalem, pelo simples fato de existirem. E foi isso que, assombrosamente, chegou a ocorrer em razão de um preconceito monumental suscitado pelo desejo de abolir para sempre todos os preconceitos em matéria de cultura. A correção política acabou por nos convencer de que é arrogante, dogmático, colonialista e até racista falar de culturas superiores e inferiores e até de culturas modernas e primitivas. Segundo essa angelical concepção, todas as culturas, de seu modo e em suas circunstâncias, são iguais, constituem expressões equivalentes da maravilhosa diversidade humana.

Enquanto etnólogos e antropólogos estabeleceram essa equiparação horizontal das culturas, diluindo até tornar invisível a acepção clássica do vocábulo, os sociólogos, por sua vez — ou melhor, os sociólogos empenhados em fazer crítica literária —, levaram a cabo uma revolução semântica parecida, incorporando à ideia de cultura, como parte integral dela, a incultura, disfarçada com o nome de cultura popular, forma de cultura menos refinada, artificial e pretensiosa que a outra, porém mais livre, genuína, crítica, representativa e audaz. Direi de imediato que nesse processo de solapamento da ideia tradicional de cultura surgiram livros tão sugestivos como o que Mikhail Bakhtin dedicou à *Cultura popular na Idade Média e no Renascimento: o contexto de François Rabelais,* no qual, com raciocínios sutis e exemplos saborosos, põe em contraste o que chama de "cultura popular", espécie de contraponto à cultura oficial e aristocrática, segundo o crítico russo. Esta se conserva e brota em salões, palácios, conventos e bibliotecas, enquanto a popular nasce e vive na rua, nas tabernas, nas festas, no carnaval. A cultura popular satiriza a oficial com réplicas que, por exemplo, desnudam e exageram o que esta oculta e censura como "infra-humano", ou seja, sexo, funções excrementícias, descortesia, opondo o agressivo "mau gosto" ao suposto "bom gosto" das classes dominantes.

Não se deve confundir a classificação formulada por Bakhtin e outros críticos literários de estirpe sociológica — cultura oficial e cultura popular — com a divisão há muito existente no mundo anglo-saxão entre *highbrow culture* e a *lowbrow culture:* a cultura da sobrancelha erguida e a de sobrancelha caída. Neste último caso continuamos dentro da acepção clássica de cultura, e o que distingue uma da outra é o grau de facilidade ou dificuldade que o fato cultural apresente ao leitor, ouvinte, espectador ou simples cultor. Um poeta como T. S. Eliot e um romancista como James Joyce pertencem à cultura da sobrancelha erguida, enquanto os contos e romances de Ernest Hemingway ou os poemas de Walt Whitman à de sobrancelha caída, pois são acessíveis aos leitores comuns. Em ambos os casos continuamos dentro do domínio da literatura pura e simples, sem adjetivos. Bakhtin e seguidores (conscientes ou inconscientes) fizeram algo mais radical: aboliram as fronteiras entre cultura e incultura e conferiram dignidade relevante ao inculto, garantindo que o que possa haver de imperícia, vulgaridade e negligência neste âmbito discriminado é compensado por sua vitalidade, seu humor e pela maneira desinibida e autêntica com que representa as experiências humanas mais compartilhadas.

Desse modo foram desaparecendo de nosso vocabulário, afugentados pelo medo de se incorrer no politicamente incorreto, os limites que mantinham a separação entre cultura e incultura, pessoas cultas e incultas. Hoje ninguém é inculto, ou melhor, somos todos cultos. Basta abrir um jornal ou uma revista para encontrar, nos artigos de comentaristas e repórteres, inúmeras referências à miríade de manifestações dessa cultura universal de que somos todos possuidores, como por exemplo "cultura da pedofilia", "cultura da maconha", "cultura punk", "cultura da estética nazista" e coisas do gênero. Agora somos todos cultos de alguma maneira, embora nunca tenhamos lido um livro, nem visitado uma exposição de pintura, assistido a um concerto, adquirido algumas noções básicas dos conhecimentos humanísticos, científicos e tecnológicos do mundo em que vivemos.

Queríamos acabar com as elites, que nos repugnavam moralmente pelo tom privilegiado, depreciativo e discriminatório com que seu simples nome ressoava perante nossos ideais igualitários; ao longo do tempo, a partir de diferentes trincheiras, fomos contestando e desmontando esse corpo exclusivo de pedantes que se acreditavam superiores e se jactavam de monopolizar o saber, os valores morais, a elegância intelectual e o bom gosto. Mas conseguimos uma vitória de Pirro, um remédio pior que a doença: viver na confusão de um mundo onde, paradoxalmente, como já não há maneira de saber o que é cultura, tudo é cultura e nada é cultura.

No entanto, alguém objetará que nunca na história houve acúmulo tão grande de descobertas científicas, realizações tecnológicas, nunca foram publicados tantos livros, abertos tantos museus nem oferecidos preços tão vertiginosos pelas obras de artistas antigos e modernos. Como se pode falar de mundo sem cultura numa época em que as naves espaciais construídas pelo homem chegaram às estrelas, e a porcentagem de analfabetos é a mais baixa de toda a história humana? Todo esse progresso é indubitável, mas não é obra de pessoas cultas, e sim de especialistas. E entre cultura e especialização há tanta distância quanto entre o homem de Cro-Magnon e os sibaritas neurastênicos de Marcel Proust. Por outro lado, embora haja atualmente um número muito maior de alfabetizados do que no passado, esse é um aspecto quantitativo, e a cultura não tem muito a ver com quantidade, e sim com qualidade. Estamos falando de coisas diferentes. À extraordinária especialização a que chegaram as ciências é que, sem dúvida, se deve o fato de termos conseguido reunir no mundo atual um arsenal de armas de destruição em massa com o qual poderíamos extinguir várias vezes o planeta em que vivemos e contaminar de morte os espaços adjacentes. Trata-se de uma façanha científica e tecnológica e, ao mesmo tempo, uma manifestação flagrante de barbárie, ou seja, um feito eminentemente anticultural, se cultura, como acreditava T. S. Eliot, for "tudo o que faz da vida algo digno de ser vivido". A cultura é — ou era, quando existia — um denominador comum, algo que mantinha viva a comunicação entre povos muito diferentes que, com o avanço dos conhecimentos, eram obrigados a especializar-se, ou seja, a ir se distanciando uns dos outros e deixando de comunicar-se. Era também uma bússola, um guia que possibilitava aos seres humanos orientar-se no denso cipoal dos conhecimentos sem perder a direção e tendo, em sua incessante trajetória, maior ou menor clareza sobre prioridades, diferença entre o que é importante e o que não é, entre o caminho principal e os desvios inúteis. Ninguém pode saber tudo de tudo — nem antes nem agora —, mas ao homem culto a cultura servia pelo menos para estabelecer hierarquias e preferências no campo do saber e dos valores estéticos. Na era da especialização e da derrubada da cultura as hierarquias desapareceram numa mistura amorfa em que, segundo o imbróglio que iguala as inumeráveis formas de vida batizadas de culturas, todas as ciências e técnicas se justificam e equivalem, e não há modo algum de discernir com um mínimo de objetividade o que é belo em arte e o que não é. Até mesmo falar desse modo já se mostra obsoleto, pois a própria noção de beleza está tão desacreditada quanto a clássica ideia de cultura.

O especialista enxerga e vai longe em seu campo, mas não sabe o que ocorre ao seu redor e não perde tempo averiguando os estragos que seus êxitos poderiam causar em outros âmbitos da existência, alheios ao seu. Esse ser unidimensional pode ser, ao mesmo tempo, um grande especialista e uma pessoa inculta porque seus conhecimentos, em vez de conectá-lo com os outros, o isolam numa especialidade que é apenas uma célula diminuta do vasto campo do saber. A especialização, que existiu desde os primórdios da civilização, foi aumentando com o avanço dos conhecimentos, e o que mantinha a comunicação social, os denominadores comuns que são os nós da urdidura social, eram as elites, as minorias cultas, que, além de estenderem pontes e intercâmbios entre as diferentes províncias do saber — ciências, letras, artes e técnicas —, exerciam influência, religiosa ou laica, sempre carregada de conteúdo moral, para que o progresso intelectual e artístico não se afastasse demais de certa finalidade humana, ou seja, que garantisse melhores oportunidades e condições materiais de vida e, ao mesmo tempo, significasse enriquecimento moral para a sociedade, com a diminuição da violência, da injustiça, da exploração, da fome, das doenças e da ignorância.

Em suas *Notas para a definição de cultura,* T. S. Eliot afirmou que esta não deve ser identificada com conhecimento — parecia estar falando mais para nossa época que para a sua, pois então o problema não tinha a gravidade de agora — porque a cultura antecede e sustenta o conhecimento, orienta-o e confere-lhe uma funcionalidade precisa, algo assim como um desígnio moral. Sendo religioso, Eliot via nos valores da religião cristã aquela base do saber e da conduta humana que ele chamava de cultura. Mas não creio que a fé religiosa seja o único sustentáculo possível para que o conhecimento não se torne errático e autodestrutivo como o que multiplica os arsenais atômicos ou contamina com venenos o ar, o solo e as águas que nos permitem viver. Uma moral e uma filosofia laicas, desde os séculos XVIII e XIX, desempenharam essa função para um amplo setor do mundo ocidental. Embora seja indubitável que, para um número igual ou maior de seres humanos, a transcendência é uma necessidade ou urgência vital da qual não é possível desprender-se sem cair na anomia ou no desespero.

Hierarquias no amplo espectro dos saberes que formam o conhecimento, uma moral o mais tolerante possível que exija a liberdade e possibilite a expressão à grande diversidade dos seres humanos, mas seja firme na rejeição a tudo o que avilte e degrade a noção básica de humanidade e ameace a sobrevivência da espécie, uma elite não pautada pela razão de nascimento nem pelo poder econômico ou político, mas pelo esforço, pelo talento e pela obra realizada, com autoridade moral para estabelecer, de maneira flexível e renovável, uma ordem de prioridades e importância de valores tanto no espaço próprio das artes quanto nas ciências e nas técnicas: isso foi cultura nas circunstâncias e sociedades mais ilustradas que a história conheceu, o que ela deveria voltar a ser se não quisermos progredir sem rumo, às cegas, como autômatos, em direção à nossa própria desintegração. Só desse modo a vida iria sendo cada dia mais digna de ser vivida para a maioria, na busca do sempre inalcançável anseio por um mundo feliz.

Nesse processo, seria equivocado atribuir funções idênticas às ciências, às letras e às artes. Foi precisamente o esquecimento de distingui-las que contribuiu para a confusão que atualmente prevalece no campo da cultura. As ciências progridem, como as técnicas, aniquilando o velho, antiquado e obsoleto; para elas o passado é um cemitério, um mundo de coisas mortas e superadas pelas novas descobertas e invenções. As letras e as artes se renovam, mas não progridem; não aniquilam o passado, constroem sobre ele, alimentam-se dele e às vezes o alimentam, de modo que, apesar de tão diferentes e distantes, Velázquez está tão vivo quanto Picasso, e Cervantes continua sendo tão atual quanto Borges ou Faulkner.

As ideias de especialização e progresso, inseparáveis da ciência, são inválidas para as letras e as artes, o que não quer dizer, evidentemente, que a literatura, a pintura e a música não mudem nem evoluam. Mas, diferentemente do que se diz sobre a química e a alquimia, nelas não se pode dizer que aquela abole e supera esta. A obra literária e artística que atinge certo grau de excelência não morre com o passar do tempo: continua vivendo e enriquecendo as novas gerações e evoluindo com estas. Por isso, as letras e as artes constituíram até agora o denominador comum da cultura, o espaço no qual era possível a comunicação entre seres humanos, apesar das diferenças de línguas, tradições, crenças e épocas, pois quem hoje se emociona com Shakespeare, ri com Molière e se deslumbra com Rembrandt e Mozart está dialogando com quem no passado os leu, ouviu e admirarou.

Esse espaço comum, que nunca se especializou, que sempre esteve ao alcance de todos, passou por períodos de extrema complexidade, abstração e hermetismo, o que restringia a compreensão de certas obras a uma elite. Mas essas obras experimentais ou de vanguarda, se de fato expressassem zonas inéditas da realidade humana e criassem formas de beleza duradoura, sempre acabavam por educar leitores, espectadores e ouvintes, integrando-se desse modo no patrimônio comum. A cultura pode e deve ser, também, experimentação, é claro, desde que as novas técnicas e formas introduzidas pela obra ampliem o horizonte da experiência da vida, revelando seus segredos mais ocultos ou expondo-nos a valores estéticos inéditos que revolucionem nossa sensibilidade e nos deem uma visão mais sutil e nova desse abismo sem fundo que é a condição humana.

A cultura pode ser experimentação e reflexão, pensamento e sonho, paixão e poesia e uma revisão crítica constante e profunda de todas as certezas, convicções, teorias e crenças. Mas não pode afastar-se da vida real, da vida verdadeira, da vida vivida, que nunca é a dos lugares-comuns, do artifício, do sofisma e da brincadeira, sem risco de se desintegrar. Posso parecer pessimista, mas minha impressão é de que, com uma irresponsabilidade tão grande como nossa irreprimível vocação para a brincadeira e a diversão, fizemos da cultura um daqueles castelos de areia, vistosos mas frágeis, que se desmancham com a primeira ventania.

Antecedentes

Pedra de Toque
A hora dos charlatães

Naquela tarde fui ao Institute of Contemporary Arts meia hora antes da conferência que o filósofo francês ia fazer, para dar uma olhada na livraria do ICA, que, apesar de muito pequena, sempre me pareceu exemplar. Mas tive uma enorme surpresa porque, no intervalo entre a última vez em que estive ali e esta, o pequeno recinto havia passado por uma revolução classificatória. As antiquadas seções de antes — literatura, filosofia, arte, cinema, crítica — tinham sido substituídas pelas seções pós-modernas de teoria cultural, classe e gênero, raça e cultura e por uma estante intitulada "sujeito sexual", que me inspirou certa esperança, mas não tinha nada a ver com o erotismo, e sim com patrologia filológica ou machismo linguístico.

Poesia, romance e teatro tinham sido erradicados; a única forma criativa presente eram alguns roteiros cinematográficos. Em lugar de honra figurava um livro de Deleuze e Guattari sobre nomadologia *e outro, muito importante segundo parecia, de um grupo de psicanalistas, juristas e sociólogos sobre desconstrução da justiça. Nenhum dos títulos mais à vista (como* Reformulação feminista do eu, O bicha material (The Material Queer), Ideologia e identidade cultural *ou* O ídolo lésbico*) me abriu o apetite, de modo que saí de lá sem comprar nada, algo que raras vezes me ocorre em livrarias.*

Fui ouvir Jean Baudrillard porque o sociólogo e filósofo francês, um dos heróis da pós-modernidade, também tem sua parcela de res-

ponsabilidade no que está acontecendo na atualidade com a vida da cultura (se é que esse nome ainda tem motivos para ser cotejado com fenômenos como o vivido pela livraria do ICA londrino). Até porque queria vê-lo pessoalmente, depois de tantos anos. Em fins dos anos 1950 e início dos 1960, ambos frequentamos os cursos do terceiro ciclo dados na Sorbonne por Lucien Goldmann e Roland Barthes e demos uma mão à FLN argelina, nas redes de apoio criadas em Paris pelo filósofo Francis Jeanson. Todos já sabiam então que Jean Baudrillard faria brilhante carreira intelectual.

Era muito inteligente e tinha soberba desenvoltura expositiva. Parecia então muito sério, e não o ofenderia quem o descrevesse como humanista moderno. Lembro-me de tê-lo ouvido, num bistrô de Saint-Michel, pulverizar com sanha e humor a tese de Foucault sobre a inexistência do homem em As palavras e as coisas, *que acabava de sair. Tinha muito bom gosto literário e naqueles anos foi um dos primeiros na França a ressaltar a genialidade de Italo Calvino, num esplêndido ensaio sobre este, publicado por Sartre em* Les Temps Modernes. *Depois, em fins dos anos 1960, escreveu os dois livros densos, estimulantes, palavrosos e sofísticos que consolidariam seu prestígio, sobre* O sistema dos objetos *e* A sociedade de consumo. *A partir de então, enquanto sua influência se estendia pelo mundo e fincava raízes firmes sobretudo no âmbito anglo-saxão — prova disso era o auditório lotado do ICA e as centenas de pessoas que não conseguiram entrada para ouvi-lo —, seu talento (no que parece ser a trajetória fatídica dos melhores pensadores franceses de nossos dias) foi se concentrando cada vez mais numa empreitada ambiciosa: a demolição do existente e sua substituição por uma irrealidade verbosa.*

A conferência dele — que começou com a citação de Jurassic Park *— confirmou isso além de todas as minhas expectativas. Seus compatriotas que o precederam nessa tarefa de assédio e demolição eram mais tímidos. Segundo Foucault, o homem não existe, mas, pelo menos essa inexistência está aí, povoando a realidade com seu* *versátil vazio. Roland Barthes só conferia substância real ao estilo, inflexão que cada vida animada é capaz de imprimir no rio de palavras em que o ser aparece e desaparece como fogo-fátuo. Para Derrida a verdadeira vida é a dos textos ou discursos, universo de formas autossuficientes que se remetem e modificam mutuamente, sem tocarem por nada a remota e pálida sombra do verbo que é a prescindível experiência humana.*

Os passes de mágica de Jean Baudrillard eram ainda mais definitivos. A realidade real já não existe, foi substituída pela realidade virtual, criada pelas imagens da publicidade e pelos grandes meios audiovisuais. Há algo que conhecemos com o rótulo de "informação", mas trata-se de um material que, na verdade, desempenha função essencialmente oposta à de nos informar sobre o que ocorre ao nosso redor. Ele suplanta e torna inútil o mundo real dos fatos e as ações objetivas: são as versões clônicas destes, que chegam até nós através das telas da televisão, selecionadas e temperadas pelos comentários dos ilusionistas que são os profissionais dos meios de comunicação, versões que em nossa época ocupam o lugar daquilo que antes se conhecia como realidade histórica, conhecimento objetivo do desenvolvimento da sociedade.

As ocorrências do mundo real já não podem ser objetivas; nascem minadas em sua verdade e consistência ontológica por esse vírus dissolvente que é sua projeção nas imagens manipuladas e falsificadas da realidade virtual, as únicas admissíveis e compreensíveis para uma humanidade domesticada pela fantasia midiática dentro da qual nascemos, vivemos e morremos (nem mais nem menos que os dinossauros de Spielberg). Além de abolirem a história, as "notícias" da televisão também aniquilam o tempo, pois matam qualquer perspectiva crítica sobre o que ocorre: elas são simultâneas aos acontecimentos sobre os quais supostamente informam, e estes não duram mais que o lapso fugaz em que são enunciados, antes de desaparecerem, varridos por outros que, por sua vez, aniquilarão os novos, num vertiginoso processo de desnaturação do existente que desembocou, pura e simplesmente, em sua evaporação e substituição pela verdade da ficção midiática, a única realidade real de nossa era, a era — diz Baudrillard — "dos simulacros".

Que vivemos numa época de grandes representações que dificultam nossa compreensão do mundo real é algo que me parece uma verdade cristalina. Mas acaso não é evidente que ninguém contribuiu mais para turvar nosso entendimento sobre o que está realmente ocorrendo no mundo, mais até que os embustes midiáticos, do que certas teorias intelectuais que, tal qual os sábios de uma das belas fantasias borgianas, pretendem incrustar na vida o jogo especulativo e os sonhos da ficção?

No ensaio que escreveu, demonstrando que a Guerra do Golfo não havia ocorrido — pois tudo o que foi protagonizado por Saddam Hussein, pelo Kuwait e pelas forças aliadas não passara de farsa televisiva —, Jean Baudrillard afirmou: "O escândalo, em nossos dias, não consiste em atentar contra os valores morais, e sim contra o princípio de realidade". Subscrevo essa afirmação com todos os seus pontos e vírgulas. Ao mesmo tempo, ela me passou a impressão de ser uma involuntária e feroz autocrítica de quem, há já um bom número de anos, empenhava toda a sua astúcia dialética e os poderes de sua inteligência em provar que o desenvolvimento da tecnologia audiovisual e a revolução das comunicações em nossos dias haviam abolido a faculdade humana de discernir verdade e mentira, história e ficção, fazendo de nós, bípedes de carne e osso extraviados no labirinto midiático de nosso tempo, meros fantasmas autômatos, peças de jogo, privados de liberdade e conhecimento, condenados a extinguir-nos sem termos sequer vivido.

Quando sua conferência terminou, não me aproximei para cumprimentá-lo nem para lembrar-lhe os tempos idos de nossa juventude, quando as ideias e os livros nos exaltavam, e ele ainda acreditava que existíamos.

El País, *Madri, 24 de agosto de 1997*

III. É proibido proibir

Já faz alguns anos vi em Paris, na televisão francesa, um documentário que ficou gravado em minha memória; de vez em quando os acontecimentos cotidianos atualizam suas imagens e lhes conferem estrondosa vigência, sobretudo quando se fala do problema cultural maior de nossos dias: a educação.

O documentário descrevia a problemática de um colégio na periferia de Paris, um desses bairros onde famílias francesas empobrecidas convivem com imigrantes de origem subsaariana ou latino-americana e com árabes do Magreb. Esse colégio secundário público, cujos alunos, de ambos os sexos, constituíam um arco-íris de raças, línguas, costumes e religiões, fora cenário de violências: surras em professores, estupros nos banheiros ou corredores, confrontos entre bandos com facadas e pauladas e, se bem me lembro, até tiroteios. Não sei se de tudo isso resultara algum morto, mas sei que alguns feridos, e nas buscas feitas no local a polícia apreendera armas, drogas e álcool.

O documentário não queria ser alarmista, e sim tranquilizador, mostrando que o pior já havia passado e que, com a boa vontade de autoridades, professores, pais de família e alunos, as águas estavam se acalmando. Por exemplo, com indisfarçável satisfação, o diretor ressaltava que, graças ao detector de metais recém-instalado, pelo qual agora os estudantes precisavam passar ao entrarem no colégio, era possível confiscar socos-ingleses, facas e outras armas perfurocortantes. Desse modo, os atos sangrentos haviam sido drasticamente reduzidos. Tinham sido baixadas instruções para que professores e alunos não circulassem sozinhos, nem mesmo nos banheiros, que sempre estivessem pelo menos em grupos de dois. Desse modo evitavam-se assaltos e emboscadas. E, agora, o colégio tinha dois psicólogos permanentes para dar aconselhamento a alunos e alunas inadaptáveis ou desordeiros recalcitrantes — quase sempre órfãos de pai ou mãe, vindos de famílias desestruturadas pelo desemprego, pela promiscuidade, pela delinquência e pela violência de gênero.

O que mais me impressionou no documentário foi a entrevista de uma professora que afirmava, com naturalidade, algo como: "*Tout va bien, maintenant, mais il faut se débrouiller*" ("Agora tudo vai bem, mas a gente precisa se virar"). Explicava que, para evitar os assaltos e as surras de antes, ela e um grupo de professores tinham combinado encontrar-se em hora certa na estação de metrô mais próxima e caminharem juntos até o colégio. Desse modo o risco de agressões pelos *voyous* (vadios) diminuía. Aquela professora e seus colegas, que iam diariamente para o trabalho como quem vai para o inferno, estavam resignados, tinham aprendido a sobreviver e não pareciam nem sequer imaginar que exercer a docência pudesse ser algo diferente de sua via-crúcis cotidiana.

Naqueles dias, estava terminando de ler um dos amenos e sofísticos ensaios de Michel Foucault em que, com seu brilhantismo habitual, o filósofo francês afirmava que, assim como a sexualidade, a psiquiatria, a religião, a justiça e a linguagem, o ensino sempre fora, no mundo ocidental, uma das "estruturas de poder" erigidas para reprimir e domesticar o corpo social, instalando sutis mas eficazes formas de sujeição e alienação, a fim de garantir a perpetuação dos privilégios e o controle do poder dos grupos sociais dominantes. Bom, pelo menos no campo do ensino, a partir de 1968 a autoridade castradora dos instintos libertários dos jovens havia ido pelos ares. Mas, a julgar por aquele documentário, que poderia ter sido filmado em muitos outros lugares da França e de toda Europa, a derrocada e o desprestígio da própria ideia de professor e de magistério — e, em última instância, de qualquer forma de autoridade — não pareciam ter trazido a libertação criativa do espírito juvenil, mas, ao contrário, transformado os colégios assim liberados em instituições caóticas, no melhor dos casos, e, no pior, em pequenas satrapias de valentões e delinquentes precoces.

É evidente que maio de 68 não acabou com a "autoridade", que já fazia tempo vinha passando por um processo de debilitação generalizada em todas as esferas, desde a política até a cultural, sobretudo no campo da educação. Mas a revolução dos filhos de gente bem, a fina flor e a nata das classes burguesas e privilegiadas da França, que foram os protagonistas daquele divertido carnaval que proclamou como um dos lemas do movimento "É proibido proibir!", estendeu ao conceito de autoridade sua certidão de óbito. E deu legitimidade e glamour à ideia de que toda autoridade é suspeita, perniciosa e desprezível, e de que o ideal libertário mais nobre é desconhecê-la, negá-la e destruí-la. O poder não foi minimamente afetado com essa insolência simbólica dos jovens rebeldes que, com o desconhecimento de sua imensa maioria, levaram para as barricadas os ideais iconoclastas de pensadores como Foucault. Basta recordar que nas primeiras eleições realizadas na França depois de maio de 68, a direita gaullista obteve esmagadora vitória.

Mas a autoridade, no sentido romano de *auctoritas* — não de poder, mas, como define o *Diccionario* da Real Academia Espanhola, em sua terceira acepção, de "prestígio e crédito que se reconhece a uma pessoa ou instituição por sua legitimidade ou por sua qualidade e competência em alguma matéria" —, essa não voltou a levantar a cabeça. Desde então, tanto na Europa como em boa parte do resto do mundo, são praticamente inexistentes as figuras políticas e culturais que exercem aquela ascendência, moral e intelectual ao mesmo tempo, da "autoridade" clássica que, em nível popular, era encarnada nos mestres, palavra que então soava tão bem porque associada ao saber e ao idealismo. Em nenhum campo isso foi tão catastrófico para a cultura quanto na educação. O mestre, despojado de credibilidade e autoridade, muitas vezes transformado, do ponto de vista progressista, em representante do poder repressivo — ou seja, no inimigo ao qual era preciso resistir e que se devia até mesmo abater, caso se quisesse alcançar a liberdade e a dignidade humana —, não só perdeu a confiança e o respeito sem os quais era impossível cumprir eficazmente sua função de educador — de transmissor tanto de valores como de conhecimentos — perante seus alunos, como também o dos próprios pais de família e de filósofos revolucionários que, à maneira do autor de *Vigiar e punir*, nele encarnaram um daqueles sinistros instrumentos — como os carcereiros e os psiquiatras dos manicômios —, dos quais o establishment se vale para coibir o espírito crítico e a sã rebeldia de crianças e adolescentes.

Muitos mestres, de boa-fé, deram crédito a essa satanização de si mesmos e, pondo lenha na fogueira, contribuíram para aumentar o estrago, aderindo a algumas das mais disparatadas consequências da ideologia de maio de 68 no que se refere à educação, como considerar aberrante a reprovação dos maus alunos, a repetição de ano e até mesmo a atribuição de notas e o estabelecimento de uma ordem de preferência no rendimento escolar dos estudantes, pois, fazendo semelhantes distinções, se propagariam a nefasta noção de hierarquias, o egoísmo, o individualismo, a negação da igualdade e o racismo. É verdade que esses extremos não chegaram a afetar todos os setores da vida escolar, mas uma das perversas consequências do triunfo das ideias — das diatribes e fantasias — de maio de 68 foi que, como resultado disso, se acentuou brutalmente a divisão de classes a partir das salas de aula.

A civilização pós-moderna desarmou moral e politicamente a cultura de nosso tempo, e isso explica em boa parte por que alguns dos "monstros" que acreditávamos extintos para sempre depois da Segunda Guerra Mundial, como o nacionalismo mais extremista e o racismo, ressuscitaram e estão de novo rondando no próprio coração do Ocidente, ameaçando mais uma vez seus valores e princípios democráticos.

O ensino público foi uma das grandes conquistas da França democrática, republicana e laica. Em suas escolas e colégios, de altíssimo nível, as levas de alunos gozavam de uma igualdade de oportunidades que, a cada nova geração, corrigia as assimetrias e os privilégios de família e de classe, abrindo para crianças e jovens dos setores mais desfavorecidos o caminho do progresso, do sucesso profissional e do poder político. A escola pública era um poderoso instrumento de mobilidade social.

O empobrecimento e a desordem pela qual passou o ensino público, tanto na França quanto no restante do mundo, conferiram ao ensino privado (ao qual, por razões econômicas, só tem acesso um setor social minoritário de alta renda, que sofreu menos os estragos da suposta revolução libertária) papel preponderante na formação dos dirigentes políticos, profissionais e culturais de hoje e do futuro. Nunca foi tão certo o dito "nunca se sabe para quem se está trabalhando". Acreditando trabalhar para construir um mundo realmente livre, sem repressão, alienação e autoritarismo, os filósofos libertários como Michel Foucault e seus inconscientes discípulos atuaram com muito acerto para que, graças à grande revolução educacional que propiciaram, os pobres continuassem pobres, os ricos continuassem ricos, e os inveterados donos do poder, com o chicote nas mãos.

Não é arbitrário citar o caso paradoxal de Michel Foucault. Suas intenções críticas eram sérias, e seu ideal libertário, inegável. Sua repulsa pela cultura ocidental — que, com todas as suas limitações e desvios, mais fez progredir a liberdade, a democracia e os direitos humanos na história — o induziu a acreditar que seria mais factível encontrar a emancipação moral e política apedrejando policiais, frequentando as saunas gays de San Francisco ou os clubes sadomasoquistas de Paris, do que nas salas de aula ou nas urnas eleitorais. E, em sua paranoica denúncia dos estratagemas de que, segundo ele, o poder se valia para submeter a opinião pública a seus ditames, ele negou até o final a realidade da AIDS — doença que o matou — como mais um logro do establishment e de seus agentes científicos para aterrorizar os cidadãos, impondo-lhes a repressão sexual. Seu caso é paradigmático: o mais inteligente pensador de sua geração, ao lado da seriedade com que empreendeu suas investigações em diversos campos do saber — história, psiquiatria, arte, sociologia, erotismo e, claro, filosofia —, sempre teve uma vocação iconoclasta e provocadora (em seu primeiro ensaio pretendera demonstrar que "o homem não existe") que a intervalos se transformava em mera insolência intelectual, gesto desprovido de seriedade. Também nisso Foucault não esteve só, mas assumiu o preceito de toda uma geração, que marcaria como ferrete a cultura de seu tempo: a propensão ao sofisma e ao artifício intelectual.

Essa é outra razão da perda de "autoridade" de muitos pensadores de nosso tempo: não eram sérios, brincavam com as ideias e as teorias como os malabaristas dos circos brincam com lenços e clavas, que divertem e até causam admiração, mas não convencem. No campo da cultura, chegaram a produzir uma curiosa inversão de valores: a teoria, ou seja, a interpretação chegou a substituir a obra de arte, a tornar-se sua razão de ser. O crítico importava mais que o artista, era o verdadeiro criador. A teoria justificava a obra de arte, esta existia para ser interpretada pelo crítico, era algo assim como uma hipóstase da teoria. Esse endeusamento da crítica teve o paradoxal efeito de ir afastando cada vez mais a crítica cultural do grande público, inclusive do público culto, mas não especializado, e foi um dos fatores mais eficazes da frivolização da cultura de nossos dias. Aqueles teóricos expunham suas teorias frequentemente com um jargão esotérico, pretensioso e muitas vezes oco e desprovido de originalidade e profundidade, a tal ponto que o próprio Foucault, que algumas vezes também incorreu nele, o chamou de "obscurantismo terrorista".

Mas o conteúdo delirante de certas teorias pós-modernas — o desconstrucionismo, em especial — às vezes era mais grave que o obscuro da forma. A tese comungada por quase todos os filósofos pós-modernos, mas exposta principalmente por Jacques Derrida, sustentava que é falsa a crença de que a linguagem expressa a realidade. Na verdade, as palavras se expressam a si mesmas, dão "versões", máscaras, disfarces da realidade, e, por isso, a literatura, em vez de descrever o mundo, só descreve a si mesma, é uma sucessão de imagens que documentam as diversas leituras da realidade dadas pelos livros, com o uso dessa matéria subjetiva e enganosa que é sempre a linguagem.

Os desconstrucionistas subvertem desse modo nossa confiança em qualquer verdade, na crença de que existam verdades lógicas, éticas, culturais ou políticas. Em última instância, nada existe fora da linguagem, que é o que constrói o mundo que acreditamos conhecer, que nada mais é que uma ficção fabricada pelas palavras. Daí só havia um pequeno passo para se afirmar, como fez Roland Barthes, que "toda linguagem é fascista".

O realismo não existe e nunca existiu, segundo os desconstrucionistas, pela simples razão de que a realidade tampouco existe para o conhecimento; ela nada mais é que um emaranhado de discursos que, em vez de expressá-la, ocultam-na ou dissolvem-na num tecido escorregadio e inapreensível de contradições e versões que se relativizam e se negam reciprocamente. O que existe, então? Os discursos, a única realidade apreensível para a consciência humana, discursos que remetem uns aos outros, mediações de uma vida ou de uma realidade que só podem chegar a nós através dessas metáforas ou retóricas cujo protótipo máximo é a literatura. Segundo Foucault, o poder utiliza essas linguagens para controlar a sociedade e matar no embrião qualquer tentativa de solapar os privilégios do setor dominante que tal poder serve e representa. Essa talvez seja uma das teses mais controvertidas do pós-modernismo. Porque, na verdade, a tradição mais viva e criativa da cultura ocidental não foi nada conformista, mas precisamente o contrário: um questionamento incessante de tudo o que existe. Ela foi, isso sim, inconformada, crítica tenaz do estabelecido, e, de Sócrates a Marx, de Platão a Freud, passando por pensadores e escritores como Shakespeare, Kant, Dostoiévski, Joyce, Nietzsche, Kafka, elaborou ao longo da história mundos artísticos e sistemas de ideias que se opunham radicalmente a todos os poderes entronizados. Se só fôssemos as linguagens impostas pelo poder, nunca teria nascido a liberdade e nem teria havido evolução histórica, nunca teria brotado a originalidade literária e artística.

Evidentemente, não faltaram reações críticas às falácias e aos excessos intelectuais do pós-modernismo. Por exemplo, sua tendência a proteger-se e obter certa invulnerabilidade para suas teorias valendo-se de linguagem científica sofreu duro revés quando dois cientistas de verdade, os professores Alan Sokal e Jean Bricmont, publicaram em 1998 *Imposturas intelectuais,* uma contundente demonstração do uso irresponsável, inexato e muitas vezes cinicamente fraudulento das ciências, presente em ensaios de filósofos e pensadores tão prestigiados como Jacques Lacan, Julia Kristeva, Luce Irigaray, Bruno Latour, Jean Baudrillard, Gilles Deleuze, Félix Guattari e Paul Virilio, entre outros. Deve-se lembrar que anos antes — em 1957 —, em seu primeiro livro, *Pourquoi des philosophes?*, Jean-François Revel denunciara com virulência o emprego de estilos abstrusos e falazmente científicos pelos pensadores mais influentes da época para ocultar a insignificância de suas teorias ou a própria ignorância.

Outra crítica severa às teorias e teses da moda pós-moderna foi Gertrude Himmelfarb, que, numa polêmica coleção de ensaios intitulada *On Looking Into the Abyss* [Olhando o abismo] (Nova York, Alfred A. Knopf, 1994), investiu contra aquelas e, sobretudo, contra o estruturalismo de Michel Foucault e o desconstrucionismo de Jacques Derrida e Paul de Man, correntes de pensamento que lhe pareciam vazias, se comparadas com as escolas tradicionais de crítica literária e histórica.

Seu livro é também uma homenagem a Lionel Trilling, autor de *The liberal imagination* (1950) e de muitos outros ensaios sobre cultura, que exerceram grande influência na vida intelectual e acadêmica do pós-guerra nos Estados Unidos e na Europa, hoje lembrado por poucos e quase não lido. Trilling não era liberal no plano econômico (nesse campo, estava mais ligado a teses social-democratas), mas sim no político — em vista de sua defesa ferrenha da virtude, para ele suprema, da tolerância e da lei como instrumento de justiça — e sobretudo no cultural, com sua fé nas ideias como motor do progresso e sua convicção de que as grandes obras literárias enriquecem a vida, melhoram os homens e são o alimento da civilização.

Para um pós-moderno estas crenças parecem de uma ingenuidade angelical ou de uma estupidez supina, a tal ponto que ninguém se dá nem o trabalho de refutá-las. A professora Himmelfarb mostra que, apesar dos poucos anos que separam a geração de Lionel Trilling das de Derrida ou Foucault, há um verdadeiro abismo intransponível entre aquele, convicto de que a história humana é uma só, o conhecimento é uma empresa totalizadora, o progresso é uma realidade possível, e a literatura é uma atividade da imaginação com raízes na história e projeções na moral, e os que relativizaram as noções de verdade e valor até as transformarem em ficções, entronizando como axioma que todas as culturas se equivalem, dissociando literatura de realidade e confinando-a num mundo autônomo de textos que remetem a outros textos sem nunca se relacionarem com a experiência vivida.

Não concordo com a desvalorização de Foucault por parte de Gertrude Himmelfarb. Com todos os sofismas e exageros que possam ser criticados nele, como, por exemplo, suas teorias sobre as "estruturas de poder" implícitas em toda linguagem — o que, segundo o filósofo francês, transmitiria sempre as palavras e ideias que privilegiem os grupos sociais hegemônicos —, Foucault contribuiu de maneira decisiva para conferir direito de inserção na vida cultural de certas experiências marginais e excêntricas (sexualidade, repressão social, loucura). Mas as críticas de Himmelfarb aos estragos que a desconstrução causou no âmbito das humanidades me parecem irrefutáveis. Aos desconstrucionistas devemos, por exemplo, o fato de em nossos dias já ser quase inconcebível falar de humanidades, para eles sintoma de obsolescência intelectual e de cegueira científica.

Toda vez que enfrentei a prosa obscurantista e as asfixiantes análises literárias ou filosóficas de Jacques Derrida tive a sensação de estar perdendo miseramente o meu tempo. Não por acreditar que todo ensaio de crítica deva ser útil — se for divertido ou estimulante me basta —, mas porque, se a literatura for o que ele supõe — uma sucessão ou arquipélago de textos autônomos, impermeabilizados, sem contato possível com a realidade exterior, portanto imunes a qualquer valoração e inter-relação com o desenvolvimento da sociedade e o comportamento individual —, qual é a razão de desconstruí-los? Para que esses laboriosos esforços de erudição, de arqueologia retórica, essas árduas genealogias linguísticas, aproximando ou distanciando um texto de outro até constituir essas artificiosas desconstruções intelectuais que são como que vazios animados? Há uma incongruência absoluta no labor crítico que começa proclamando a inépcia essencial da literatura para influir na vida (ou para sofrer sua influência) e para transmitir verdades de qualquer índole, associáveis à problemática humana, e depois se dedica com tanto afã a esmiuçar esses monumentos de palavras inúteis, frequentemente com uma ostentação intelectual insuportavelmente pretensiosa. Quando discutiam o sexo dos anjos, os teólogos medievais não perdiam tempo: por trivial que parecesse, essa questão para eles se vinculava de algum modo a assuntos graves, como a salvação ou a condenação eterna. Mas desmontar uns objetos verbais cuja montagem se considera, no melhor dos casos, uma intensa ninharia formal, uma gratuidade verbosa e narcisista que nada ensina sobre nada, a não ser sobre ela mesma, e que carece de moral, isso é fazer da crítica literária uma atividade gratuita e solipsista.

Não é de estranhar que, depois da influência exercida pela desconstrução em tantas universidades ocidentais (e, de maneira especial, nos Estados Unidos), os departamentos de literatura começassem a esvaziar-se de alunos, que neles se infiltrassem tantos embusteiros, e que haja cada vez menos leitores não especializados para os livros de crítica literária (que precisam ser buscados com lupa nas livrarias, não sendo raro encontrá-los em recessos sebentos, entre manuais de judô e caratê ou horóscopos chineses).

Para a geração de Lionel Trilling, por outro lado, a crítica literária relacionava-se com as questões centrais do fazer humano, pois via na literatura o testemunho por excelência das ideias, dos mitos, das crenças e dos sonhos que fazem a sociedade funcionar, bem como das secretas frustrações ou estímulos que explicam a conduta individual. Sua fé nos poderes da literatura sobre a vida era tão grande que, num dos ensaios de *The liberal imagination* (Imaginação liberal), Trilling se perguntava se o mero ensino da literatura não é já, em si, uma maneira de desvirtuar o objeto de estudo. Seu argumento se resumia no seguinte caso: "Pedi a meus alunos que 'olhassem o abismo' (as obras de Eliot, Yeats, Joyce, Proust), e eles, obedientes, o fizeram, tomaram notas e depois comentaram: muito interessante, não?" Em outras palavras, a academia congelava, tornava superficial e transformava em saber abstrato a trágica e revulsiva humanidade contida naquelas obras de imaginação, privando-as de sua poderosa força vital, de sua capacidade de revolucionar a vida do leitor. A professora Himmelfarb indica com melancolia toda a água que rolou desde que Lionel Trilling expressava escrúpulos de despojar a literatura de alma e poder ao transformá-la em matéria de estudo, até a alegre ligeireza com que Paul de Man, vinte anos mais tarde, se valeria da crítica literária para desconstruir o Holocausto, numa operação intelectual não muito distante da dos historiadores revisionistas empenhados em negar o extermínio de 6 milhões de judeus pelos nazistas.

Esse ensaio de Lionel Trilling sobre o ensino da literatura eu reli várias vezes, principalmente quando precisei atuar como professor. É verdade que há algo de enganoso e paradoxal em reduzir a uma exposição pedagógica, com ares inevitavelmente esquemáticos e impessoais, e a deveres escolares que, ainda por cima, é preciso conceituar, obras de imaginação que nasceram de experiências profundas e, às vezes, dilacerantes, com verdadeiras imolações humanas, cuja autêntica valoração não pode ser feita na tribuna de um auditório, mas na ensimesmada intimidade da leitura, e só pode ser cabalmente medida pelos efeitos e repercussões que têm na vida pessoal do leitor.

Não me lembro de nenhum professor meu de literatura que me fizesse sentir que um bom livro nos aproxima do abismo da experiência humana e de seus efervescentes mistérios. Os críticos literários, em compensação, sim. Lembro-me principalmente de um, da mesma geração de Lionel Trilling, que em mim produziu efeito semelhante ao que este exerceu sobre Gertrude Himmelfarb, contagiando-me com sua convicção de que o pior e o melhor da aventura humana sempre passam pelos livros, e de que eles ajudam a viver. Refiro-me a Edmund Wilson, cujo extraordinário ensaio sobre a evolução das ideias socialistas e sua literatura, desde que Michelet descobriu Vico até a chegada de Lenin a São Petersburgo, *Rumo à estação Finlândia,* caiu em minhas mãos no tempo de estudante. Nessas páginas de estilo diáfano, pensar, imaginar e inventar com o uso da pluma é uma forma magnífica de atuar e imprimir uma marca na história; em cada capítulo se comprova que as grandes convulsões sociais ou os miúdos destinos individuais estão visceralmente articulados com o impalpável mundo das ideias e das ficções literárias.

Edmund Wilson não teve o dilema pedagógico de Lionel Trilling no que se refere à literatura, pois nunca quis ser professor universitário. Na verdade, exerceu um magistério muito mais amplo do que os delimitados pelos recintos acadêmicos. Seus artigos e resenhas eram publicados em revistas e jornais (algo que um crítico desconstrucionista consideraria uma forma extrema de degradação intelectual), e alguns de seus livros — como o que trata dos manuscritos encontrados no mar Morto — foram reportagens para *The New Yorker*. Mas escrever para o grande público leigo não lhe reduziu o rigor nem a ousadia intelectual; ao contrário, obrigou-o a tentar ser sempre responsável e inteligível na hora de escrever.

Responsabilidade e inteligibilidade andam de mãos dadas com certa concepção de crítica literária, com a convicção de que o âmbito da literatura abarca toda a experiência humana — pois a reflete e contribui decisivamente para modelá-la — e de que, por isso mesmo, ela deveria ser patrimônio de todos, atividade que se alimenta no fundo comum da espécie e à qual se pode recorrer incessantemente em busca de ordem quando parecemos imersos no caos, de alento em momentos de desânimo e de dúvidas e incertezas quando a realidade que nos cerca parece excessivamente segura e confiável. Inversamente, se se achar que a função da literatura é apenas contribuir para a inflação retórica de um campo especializado do conhecimento, e que poemas, romances e dramas proliferam com o único objetivo de produzir certas perturbações formais no corpo linguístico, o crítico poderá, à maneira de tantos pós-modernos, entregar-se impunemente aos prazeres do desatino conceitual e à obscuridade de expressão.

Antecedentes

Pedra de Toque
O véu islâmico

No outono de 1987, algumas alunas do colégio francês Gabriel Havez, na localidade de Creil, apresentaram-se nas aulas com o véu islâmico, e a direção do estabelecimento proibiu-lhes a entrada, lembrando às meninas muçulmanas o caráter laico do ensino público na França. Desde então se iniciou nesse país um intenso debate sobre o tema, que acaba de atualizar-se com o anúncio de que o primeiro ministro Jean-Pierre Raffarin se propõe apresentar ao Parlamento um projeto que dê força de lei à proibição de usar nas escolas do Estado trajes ou símbolos religiosos e políticos de caráter "ostensivo e proselitista".

No debate de ideias sobre os assuntos cívicos, a França continua sendo uma sociedade exemplar: na semana que acabo de passar em Paris acompanhei, fascinado, a estimulante controvérsia. O assunto em questão dividiu de maneira transversal o meio intelectual e político, de modo que, entre partidários e adversários de proibir o véu islâmico nos colégios, mesclam-se intelectuais e políticos da esquerda e da direita, mais uma prova da crescente inanidade daquelas rígidas categorias para entender as opções ideológicas no século XXI. Nesse conflito, o presidente Jacques Chirac discorda de seu primeiro-ministro, e, por outro lado, com este concordam socialistas da oposição ao governo, como os ex-ministros Jack Lang e Laurent Fabius. Não é preciso ser grande adivinho para perceber que o véu islâmico é apenas a ponta de um iceberg, e que o que está em jogo, nesse debate, são duas maneiras diferentes de entender os direitos humanos e o funcionamento de uma democracia.

Para início de conversa, pareceria que, a partir de uma perspectiva liberal — que é a de quem escreve isto —, não cabe a menor dúvida. O respeito aos direitos individuais exige que uma pessoa, criança ou adulto, possa vestir-se como quiser sem que o Estado se imiscua em sua decisão, e é essa a política aplicada, por exemplo, no Reino Unido; lá, nos bairros periféricos de Londres, multidões de meninas muçulmanas vão às aulas cobertas dos pés à cabeça, como em Riad ou Amã. Se todo o ensino escolar estivesse privatizado, o problema nem sequer surgiria: cada grupo ou comunidade organizaria suas escolas de acordo com seu próprio critério e suas regras, limitando-se a observar certas disposições gerais do Estado sobre o currículo. Mas isso não ocorre nem vai ocorrer em sociedade alguma em futuro previsível.

Por isso, o assunto do véu islâmico não é tão simples se examinado de mais perto e no âmbito das instituições garantidas pelo Estado de direito, pelo pluralismo e pela liberdade.

Requisito primeiro e irrevogável de uma sociedade democrática é o caráter laico do Estado, sua total independência em relação às instituições eclesiásticas, única maneira que ele tem de garantir a vigência do interesse comum sobre os interesses particulares, e a liberdade absoluta de crenças e práticas religiosas para os cidadãos, sem privilégios nem discriminações de ordem alguma. Uma das maiores conquistas da modernidade, em que a França esteve na vanguarda da civilização e serviu de modelo às demais sociedades democráticas do mundo inteiro, foi o laicismo. Quando a escola pública laica ali se estabeleceu, no século XIX, deu-se um passo imenso em direção à criação de uma sociedade aberta, estimulante para a investigação científica e a criatividade artística, para a coexistência plural de ideias, sistemas filosóficos e correntes estéticas, para o desenvolvimen-

to do espírito crítico e também — como não? — de um espiritualismo profundo. Porque é um grande erro acreditar que o Estado neutro em matéria religiosa e a escola pública laica atentam contra a sobrevivência da religião na sociedade civil. A verdade é exatamente o contrário, e isso é demonstrado precisamente pela França, país onde a porcentagem de crentes e praticantes religiosos — cristãos na imensa maioria, claro — é uma das mais elevadas do mundo. O Estado laico não é inimigo da religião; é um Estado que, para resguardar a liberdade dos cidadãos, desviou a prática religiosa da esfera pública para o âmbito que lhe corresponde, que é o da vida privada. Porque, quando a religião e o Estado se confundem, desaparece irremediavelmente a liberdade; ao contrário, quando se mantêm separados, a religião tende, gradual e inevitavelmente, a democratizar-se, ou seja, cada igreja aprende a coexistir com outras igrejas e com outras maneiras de crer, bem como a tolerar os agnósticos e ateus. Foi esse processo de secularização que possibilitou a democracia. Diferentemente do cristianismo, o islamismo não o experimentou de maneira integral, apenas de modo embrionário e transitório, e essa é uma das razões pelas quais a cultura da liberdade tem tantas dificuldades para deitar raízes nos países islâmicos, onde o Estado não é concebido como um contrapeso da fé, mas como seu servidor e, amiúde, como sua espada flamífera. Numa sociedade em que a charia seja lei, a liberdade e os direitos individuais se eclipsam exatamente como desapareciam nos calabouços da Inquisição.

As meninas que as famílias e as comunidades enviam ornadas de véu islâmico às escolas públicas da França são algo mais do que parecem à primeira vista; ou seja, são a linha de frente de uma campanha empreendida pelos setores mais militantes do fundamentalismo muçulmano na França, na busca da conquista de uma cabeça de ponte não só no sistema educacional, mas também em todas as instituições da sociedade civil francesa. O objetivo é obter o reconhecimento de seu direito à diferença, em outras palavras, a gozar, nesses espaços públicos, de uma extraterritorialidade cívica compatível com o que aqueles setores proclamam ser sua identidade cultural, apoiada em suas crenças e práticas religiosas. Esse processo cultural e político, que se esconde por trás dos amáveis termos comunitarismo ou multiculturalismo com que seus mentores o defendem, é um dos mais poderosos desafios enfrentados pela cultura da liberdade em nossos dias; a meu ver, essa é a batalha que no fundo começou a ser travada na França por trás das escaramuças e confrontos aparentemente superficiais e episódicos entre partidários e adversários da autorização do uso do véu islâmico pelas meninas muçulmanas nas escolas públicas da França.

Há pelo menos 3 milhões de muçulmanos radicados em território francês (dizem alguns que muitos mais, considerando-se os ilegais). E, entre eles, evidentemente, há setores modernos e de clara filiação democrática, como o representado pelo reitor da mesquita de Paris, Dalil Boubakeur, com quem me encontrei há alguns meses em Lisboa, numa conferência organizada pela Fundação Gulbenkian, pessoa cuja civilidade, ampla cultura e espírito tolerante me impressionaram. Mas, infelizmente, nas recentes eleições para escolher o Conselho do Culto Muçulmano e os Conselhos Regionais, essa corrente moderna e aberta acaba de ser derrotada pelos setores radicais e próximos ao fundamentalismo mais militante, agrupados na União de Organizações Islâmicas da França (UOIF), uma das instituições que mais batalharam pelo reconhecimento do direito de as meninas muçulmanas assistirem às aulas de véu, por "respeito à sua identidade e à sua cultura". Este argumento, se levado ao extremo, não tem fim. Ou melhor, se aceito, criará fortíssimos precedentes para a aceitação de outras peculiaridades e práticas ficticiamente "essenciais" à cultura própria, como a negociação do casamento das jovens pelos pais, a poligamia e, em última análise, até a ablação feminina. Esse obscurantismo se disfarça com a exibição de um discurso progressista: com que direito o etnocentrismo colonialista dos franceses de velha estampa quer impor aos franceses recentíssimos de religião muçulmana costumes e comportamentos incompatíveis com sua tradição, sua moral e sua religião? Dourada de disparates supostamente pluralistas, a Idade Média poderia assim ressuscitar e instalar um enclave anacrônico, desumano e fanático na sociedade que foi a primeira do mundo a proclamar os Direitos do Homem. Esse raciocínio aberrante e demagógico deve ser denunciado com energia, pelo que é: um gravíssimo perigo para o futuro da liberdade.

Em nossos dias a imigração provoca um alarme exagerado em muitos países europeus, entre os quais a França, onde esse medo explica em boa parte o elevadíssimo número de votos que a Frente Nacional obteve no primeiro turno das eleições presidenciais passadas; trata-se de um movimento xenófobo e neofascista liderado por Le Pen. Esses temores são absurdos e injustificados, pois a imigração é absolutamente indispensável para que as economias dos países europeus, de demografia estancada ou decrescente, continuem crescendo, e os atuais níveis de vida da população se mantenham ou se elevem. A imigração, por isso, em vez do fantasma que habita os pesadelos de tantos europeus, deve ser entendida como uma injeção de energia e força laboral e criativa para a qual os países ocidentais devem abrir as portas de par em par, trabalhando pela integração do imigrante. Mas, claro, sem que a mais admirável conquista dos países europeus, que é a cultura democrática, seja prejudicada, e sim, ao contrário, que se renove e enriqueça com a adoção desses novos cidadãos. É óbvio que são estes que têm de adaptar-se às instituições da liberdade, e não estas renunciar a si mesmas para acomodar-se a práticas ou tradições incompatíveis com elas. Nisso não pode nem deve haver concessão alguma em nome das falácias de um comunitarismo ou multiculturalismo pessimamente entendidos. Todas as culturas, crenças e costumes devem ter lugar numa sociedade aberta, desde que não colidam frontalmente com os direitos humanos e os princípios de tolerância e liberdade que constituem a essência da democracia.

Os direitos humanos e as liberdades públicas e privadas garantidas por uma sociedade democrática estabelecem um amplíssimo leque de possibilidades de vida que possibilitam a coexistência em seu seio de todas as religiões e crenças, mas estas, em muitos casos, como ocorreu com o cristianismo, deverão renunciar aos extremismos de sua doutrina — monopólio, exclusão do outro e práticas discriminatórias e lesivas aos direitos humanos —, para ganharem o direito de cidadania numa sociedade aberta. Têm razão Alain Finkielkraut, Élisabeth Badinter, Régis Debray, Jean-François Revel e os que estão com eles nessa polêmica: o véu islâmico deve ser proibido nas escolas públicas francesas em nome da liberdade.

El País, *Madri, junho de 2003*

IV. O desaparecimento do erotismo

O que ocorreu com as artes e as letras e, em geral, com toda a vida intelectual, também ocorreu com o sexo. A civilização do espetáculo não só deu o golpe fatal à velha cultura como também está destruindo uma de suas manifestações e êxitos mais excelsos: o erotismo.

Um exemplo, entre mil.

No final de 2009 houve um pequeno alvoroço midiático na Espanha quando se descobriu que a Junta da Extremadura, em poder dos socialistas, organizara, dentro de seu plano de educação sexual dos escolares, oficinas de masturbação para meninos e meninas a partir dos 14 anos, campanha que foi batizada, não sem sagacidade, de *O prazer está em suas mãos*.

Diante dos protestos de alguns contribuintes, para que não se aplicasse desse modo o dinheiro dos impostos, os porta-vozes da Junta alegaram que a educação sexual das crianças é indispensável para "prevenir gravidezes indesejadas", e que as aulas de masturbação serviriam para "evitar males maiores". Na polêmica que o assunto provocou, a Junta da Extremadura recebeu felicitações e apoio da Junta da Andaluzia, cuja Conselheira da Igualdade e do Bem-estar Social, Micaela Navarro, anunciou que na Andaluzia teria início em breve uma campanha semelhante à da Extremadura. Por outro lado, a tentativa de acabar com as oficinas de masturbação, mediante ação judicial movida por uma organização ligada ao Partido Popular, tentativa batizada, com não menos acuidade, de Mãos Limpas, fracassou de maneira estrepitosa, pois a procuradoria do Tribunal de Justiça da Extremadura não acolheu a denúncia e a arquivou.

Masturbai-vos, pois, meninos e meninas de todo o mundo! Quanta água rolou neste planeta que ainda nos suporta desde que, em minha infância, os padres salesianos e os irmãos de La Salle — colégios em que estudei — nos assustavam com o espantalho de que os "toques indecentes" produziam cegueira, tuberculose e imbecilidade. Seis décadas depois aulas de punheta nas escolas! Isso sim é progresso, minha gente.

Será mesmo?

A curiosidade criva-me o cérebro de perguntas. Darão notas? Farão provas? As oficinas serão só teóricas ou também práticas? Que proezas os alunos terão de realizar para tirarem a nota mais alta, e que fiascos, para serem reprovados? Dependerá da quantidade de conhecimentos retidos pela memória ou da velocidade, da quantidade e da consistência dos orgasmos produzidos pela destreza tátil de meninos e meninas? Não são piadas. Se alguém tem a audácia de abrir oficinas para instruir a meninada nas técnicas da masturbação, essas perguntas são pertinentes.

Não faço o menor reparo moral à iniciativa *O prazer está em suas mãos* da Junta da Extremadura. Reconheço as boas intenções que a animam e admito que, com campanhas dessa índole, não é impossível que diminua o número de gravidezes indesejadas. Minha crítica é de índole sensual e sexual. Temo que, em vez de livrar as crianças das superstições, mentiras e preconceitos que tradicionalmente cercaram o sexo, as oficinas de masturbação o trivializem ainda mais do que a civilização de nosso tempo já o trivializou, de tal modo que acabem por transformá-lo num exercício sem mistério, dissociado do sentimento e da paixão, privando assim as futuras gerações de uma fonte de prazer que irrigou até agora de maneira tão fecunda a imaginação e a criatividade dos seres humanos.

A vacuidade e a vulgaridade que têm minado a cultura de certa forma também prejudicaram outra das mais importantes conquistas de nossa época nos países democráticos: a liberdade sexual, o eclipse de muitos tabus e preconceitos que cercavam a vida erótica. Porque, assim como nos campos da arte e da literatura, o desaparecimento dos formalismos na vida sexual não significa progresso, mas sim retrocesso que desnatura a liberdade e empobrece o sexo, rebaixando-o ao puramente instintivo e animal.

Masturbação não precisa ser ensinada, é descoberta na intimidade, é uma das atividades que fundamentam a vida privada. Ela vai desprendendo o menino e a menina de seu entorno familiar, individualizando-os e sensibilizando-os ao lhes revelar o mundo secreto dos desejos, e instruindo-os sobre assuntos capitais, como o sagrado, o proibido, o corpo e o prazer. Por isso, destruir os ritos privados e acabar com a discrição e o pudor que acompanharam o sexo desde que a sociedade humana atingiu a civilização não é combater um preconceito, mas amputar da vida sexual a dimensão que foi surgindo em torno dela à medida que a cultura e o desenvolvimento das artes e das letras iam enriquecendo-a e transformando-a também em obra de arte. Tirar o sexo das alcovas para exibi-lo em praça pública é, paradoxalmente, não o libertar, mas fazê-lo regredir aos tempos da caverna, quando, assim como os macacos e os cães, os casais ainda não haviam aprendido a fazer amor, só a acasalar. A suposta liberação do sexo, um dos traços mais pronunciados da modernidade nas sociedades ocidentais, de que faz parte essa ideia de dar aulas de masturbação nas escolas, talvez consiga abolir certos preconceitos estúpidos sobre o onanismo. Em boa hora. Mas também poderia contribuir para desferir outra punhalada no erotismo e talvez acabe com ele. Quem sairia ganhando? Não os libertários nem os libertinos, mas os puritanos e as igrejas. E continuariam o delírio e a futilização do amor que caracterizam a civilização contemporânea no mundo ocidental.

A ideia das oficinas de masturbação é um novo elo no movimento que — para dar uma data de nascimento (embora na verdade seja anterior) — começou em Paris em maio de 1968 e pretende pôr fim aos obstáculos e prevenções de caráter religioso e ideológico que, desde tempos imemoriais, reprimiram a vida sexual, provocando inúmeros sofrimentos, principalmente para as mulheres e as minorias sexuais, assim como frustração, neurose e outros desequilíbrios psíquicos para aqueles que, em vista da rigidez da moral reinante, foram discriminados, censurados e condenados à clandestinidade insegura.

Esse movimento teve saudáveis consequências, evidentemente, nos países ocidentais, enquanto em outras culturas, como a islâmica, exacerbou as proibições e a repressão. O culto da virgindade, que pesava como lápide sobre a mulher, evaporou-se e, graças a isso e à generalização do uso da pílula, as mulheres hoje, se não desfrutam exatamente da mesma liberdade dos homens, pelo menos gozam de uma margem de autonomia sexual infinitamente mais ampla que suas avós e bisavós e do que suas congêneres dos países muçulmanos e terceiro-mundistas. Por outro lado, mesmo sem desaparecerem de todo, foram-se reduzindo os preconceitos e anátemas contra a homossexualidade, bem como as disposições legais que até há poucos anos a apenavam por considerá-la uma prática perversa. Pouco a pouco vão sendo admitidos nos países ocidentais o casamento entre pessoas do mesmo sexo, com os mesmos direitos dos casais heterossexuais, inclusive o de adotar filhos. Além disso, estende-se paulatinamente a ideia de que, em matéria sexual, o que os adultos fizerem ou deixarem de fazer entre si em pleno uso da razão e por livre decisão é prerrogativa deles, e ninguém, a começar pelo Estado e a terminar pelas igrejas, deve imiscuir-se no assunto.

Tudo isso constitui um progresso, está claro. Mas é errôneo acreditar, como os promotores desse movimento liberador, que, dessacralizado, despido dos véus, do pudor e dos rituais que o acompanham há séculos, abolida de sua prática toda e qualquer forma simbólica de transgressão, o sexo passará a ser uma prática saudável e normal na cidade.

O sexo só é saudável e normal entre os animais. Foi assim entre os bípedes quando ainda não éramos totalmente humanos, ou seja, quando o sexo era para nós desafogo do instinto e pouco mais que isso, descarga física de energia que garantia a reprodução. A desanimalização da espécie foi um longo e complicado processo, e nele teve papel decisivo o que Karl Popper chama de "mundo terceiro", o da cultura e da invenção, o lento surgimento do indivíduo soberano, sua emancipação da tribo, com tendências, disposições, desígnios, anseios e desejos que o diferenciavam dos outros e o constituíam como ser único e intransferível. O sexo desempenhou papel importantíssimo na criação do indivíduo e, como mostrou Sigmund Freud, nesse domínio, o mais recôndito da soberania individual, são forjados os caracteres distintivos de cada personalidade, o que nos pertence como próprio e nos faz diferentes dos outros. Esse é um domínio privado e secreto, e deveríamos procurar fazer de tudo para que continue assim, se não quisermos obstruir uma das fontes mais intensas de prazer e criatividade, ou seja, da civilização.

Georges Bataille não se equivocava quando alertou para os riscos da permissividade desenfreada em matéria sexual. O desaparecimento dos preconceitos, algo libertador de fato, não pode significar a abolição dos rituais, do mistério, dos formalismos e da discrição, graças aos quais o sexo se civilizou e humanizou.

Com sexo público, saudável e normal, a vida se tornaria mais enfadonha, medíocre e violenta do que é.

Há muitas formas de definir o erotismo, mas a principal talvez consista em chamá-lo de desanimalização do amor físico, que é sua transformação, ao longo do tempo e graças ao progresso da liberdade e à influência da cultura na vida privada, de mera satisfação de uma pulsão instintiva em atividade criativa e compartilhada que prolonga e sublima o prazer físico, cercando-o de uma encenação e de refinamentos que o transformam em obra de arte.

Talvez em nenhuma outra atividade tenha sido estabelecida uma fronteira tão evidente entre o animal e o humano como no domínio do sexo. Essa diferença no princípio, na noite dos tempos, não existia e confundia ambos num acasalamento carnal sem mistério, sem graça, sem sutileza e sem amor. A humanização da vida de homens e mulheres é um longo processo no qual intervêm o avanço dos conhecimentos científicos, as ideias filosóficas e religiosas, o desenvolvimento das artes e das letras. Nessa trajetória nada muda tanto como a vida sexual. Esta sempre foi um fermento da criação artística e literária, e, reciprocamente, pintura, literatura, música, escultura, dança, todas as manifestações artísticas da imaginação humana contribuíram para o enriquecimento do prazer através da prática sexual. Não é abusivo dizer que o erotismo representa um momento elevado da civilização, e que é um de seus componentes determinantes. Para saber até que ponto é primitiva uma comunidade ou quanto ela avançou em seu processo civilizador nada é tão útil como perscrutar seus segredos de alcova e verificar como seus membros fazem amor.

O erotismo não só tem a função positiva e enobrecedora de embelezar o prazer físico e abrir um amplo leque de sugestões e possibilidades que permitam aos seres humanos satisfazer seus desejos e fantasias como é também uma atividade que traz à superfície aqueles fantasmas escondidos na irracionalidade que são de índole destrutiva e mortífera. Freud os chamou de pulsão tanática, que disputa com o instinto vital e criativo — o Eros — a condição humana. Entregues a si mesmos, sem freio algum, aqueles monstros do inconsciente que afloram na vida sexual e pedem direito de cidadania poderiam acarretar uma violência vertiginosa (como a que banha de sangue e cadáveres os romances do marquês de Sade) e até o desaparecimento da espécie. Por isso, o erotismo não só encontra na proibição um estímulo voluptuoso, como também um limite, com cuja violação ele se transforma em sofrimento e morte.

Descobri que o erotismo está inseparavelmente unido à liberdade humana, mas também à violência, ao ler os grandes mestres da literatura erótica que Guillaume Apollinaire reuniu na coleção que organizou (prefaciando e traduzindo alguns de seus volumes) com o título *Les maîtres de l'amour*.

Aconteceu em Lima, por volta de 1955. Tinha acabado de me casar pela primeira vez e precisei acumular vários trabalhos para ganhar a vida. Cheguei a ter oito, enquanto continuava os estudos universitários. O mais pitoresco deles era fichar os mortos das quadras coloniais do cemitério Presbítero Maestro, de Lima, cujos nomes tinham desaparecido dos arquivos da Beneficência Pública. Fazia isso aos domingos e feriados, indo ao cemitério equipado com uma escadinha, fichas e lápis. Depois de realizar meu escrutínio das velhas lápides, elaborava listas com nomes e datas, e a Beneficência Pública de Lima me pagava por morto. Porém o mais grato de meus oito ganha-pães não era esse, e sim o de ajudante de bibliotecário do Clube Nacional. O bibliotecário era meu professor, o historiador Raúl Porras Barrenechea. Minhas obrigações consistiam em passar duas horas diárias de segunda a sexta no elegante edifício do Clube, símbolo da oligarquia peruana, que naqueles anos celebrava seu centenário. Teoricamente, precisava dedicar essas poucas horas a fichar as novas aquisições da biblioteca, mas, não sei se por problemas de verbas ou se por negligência da diretoria, o Clube Nacional já quase não adquiria livros naquela época, de modo que eu podia dedicar aquelas duas horas a escrever e ler. Eram as duas horas mais felizes daqueles dias, em que da manhã até a noite eu não parava de fazer coisas que me interessavam pouco ou nada. Não trabalhava na bela sala de leitura do térreo do Clube, mas num escritório do quarto andar. Ali descobri com felicidade, dissimulada atrás de uns discretos biombos e de umas cortininhas pudibundas, uma esplêndida coleção de livros eróticos, quase todos franceses. Ali eu li as cartas e fantasias eróticas de Diderot e Mirabeau, o marquês de Sade e Restif de la Bretonne, Andréa de Nerciat, Aretino, *Memórias de uma cantora alemã, Autobiografia de um inglês, Memórias de Casanova, Ligações perigosas* de Choderlos de Laclos e não sei quantos outros livros clássicos e emblemáticos da literatura erótica.

Ela tem antecedentes clássicos, evidentemente, mas irrompe de verdade na Europa no século XVIII, em pleno auge dos *philosophes* e suas grandes teorias renovadoras da moral e da política, sua ofensiva contra o obscurantismo religioso e sua apaixonada defesa da liberdade. Filosofia, sedição, prazer e liberdade era o que pediam e praticavam em seus escritos aqueles pensadores e artistas que reivindicavam orgulhosos o apelativo de "libertinos" com que eram chamados, recordando que o sentido primário desse vocábulo era, segundo lembra Bataille, "o que desacata ou desafia Deus e religião em nome da liberdade".

A literatura libertina é muito desigual, evidentemente; não abundam obras-primas entre as que ela produziu, embora se encontrem alguns romances ou textos de grande valor em meio de muitas outras de escassa ou nula significação artística. A limitação principal que costuma empobrecê-la é que, concentrados de maneira obsessiva e exclusiva na descrição de experiências sexuais, os livros *apenas* eróticos logo sucumbem à repetição e à monomania, porque a atividade sexual, embora intensa e fonte maravilhosa de gozos, é limitada e, quando separada do restante das atividades e funções que constituem a vida de homens e mulheres, perde vitalidade e apresenta um caráter truncado, caricatural e inautêntico da condição humana.

Mas isso não é empecilho para que na literatura libertina sempre ressoe um grito de liberdade contra todas as sujeições e servidões — religiosas, morais e políticas — que restringem o direito ao livre-arbítrio, à liberdade política e social, bem como ao prazer, direito reivindicado pela primeira vez na história da civilização: o de poder materializar as fantasias e os desejos que o sexo desperta nos seres humanos. O grande mérito dos monótonos romances do marquês de Sade é mostrar como o sexo, se exercido sem limitação nem freio algum, acarreta violências insanas, pois é o veículo privilegiado através do qual se manifestam os instintos mais destrutivos da personalidade.

O ideal nesse campo é que as fronteiras dentro das quais se desenvolve a vida sexual se ampliem o suficiente para que homens e mulheres possam agir com liberdade, despejando nela seus desejos e fantasmas, sem se sentirem ameaçados nem discriminados, mas dentro de certas formalidades culturais que preservem a natureza privada e íntima do sexo, de maneira que a vida sexual não se banalize nem animalize. Isso é erotismo. Com seus rituais, fantasias, vocação à clandestinidade, amor aos formalismos e à teatralidade, nasce como um produto da alta civilização, um fenômeno inconcebível nas sociedades ou nos povos primitivos e rudes, pois se trata de uma atividade que exige sensibilidade refinada, cultura literária e artística e certa vocação transgressora. Transgressora é uma palavra que neste caso deve ser tomada com cuidado, pois dentro do contexto erótico não significa negação da regra moral ou religiosa imperante, mas ambas as coisas ao mesmo tempo: reconhecimento e rejeição, misturados de maneira indissolúvel. Violando a norma na intimidade, com discrição e de comum acordo, o casal ou o grupo levam a cabo uma representação, um jogo teatral que inflama seu prazer com um tempero de desafio e liberdade, ao mesmo tempo que conserva no sexo o status de atividade velada, confidencial e secreta.

Sem o cuidado com as convenções, com esse ritual que, enriquecendo, prolonga e sublima o prazer, o ato sexual volta a ser um exercício puramente físico — uma pulsão da natureza no organismo humano, de que o homem e a mulher são meros instrumentos passivos —, desprovido de sensibilidade e emoção. E isso nos é ilustrado, sem querer nem saber, por essa literatura barata que, pretendendo ser erótica, só chega aos rudimentos vulgares do gênero: a pornografia. A literatura erótica torna-se pornografia por razões estritamente literárias: o descuido das formas. Ou seja, quando a negligência ou a inabilidade do escritor ao utilizar a linguagem, construir a história, desenvolver diálogos e descrever situações revela, involuntariamente, tudo o que há de reles e repulsivo num acasalamento sexual isento de sentimento e elegância — de *mise-en-scène* e de ritual —, convertido em mera satisfação do instinto reprodutor.

Fazer amor em nossos dias, no mundo ocidental, está muito mais perto da pornografia que do erotismo e, paradoxalmente, isso resultou como deriva degradada e perversa da liberdade.

As oficinas de masturbação às quais os jovens extremenhos e andaluzes assistirão no futuro como parte do currículo escolar têm a aparência de um passo audaz na luta contra a carolice e o preconceito no âmbito sexual. Na realidade, é provável que essa e outras iniciativas semelhantes, destinadas a dessacralizar a vida sexual transformando-a em prática tão comum e corrente como comer, dormir e ir trabalhar, tenham como consequência desiludir precocemente as novas gerações em relação à prática sexual.

Esta perderá mistério, paixão, fantasia e criatividade e se banalizará até se confundir com mera ginástica. Com o resultado de induzir os jovens a buscar prazer em outro lugar, provavelmente no álcool, na violência e nas drogas.

Por isso, se quisermos que o amor físico contribua para enriquecer a vida das pessoas, deveremos livrá-lo dos preconceitos, mas não do formalismo e dos ritos que o embelezam e civilizam, e, em vez de exibi-lo à luz do dia e nas ruas, preservar a privacidade e a discrição que possibilitam aos amantes fazer de conta que são deuses e sentir que o são naqueles instantes intensos e únicos da paixão e do desejo comungados.

Antecedentes

Pedra de Toque
O pintor no bordel

Jean-Jacques Lebel, escritor e artista de vanguarda que nos anos 1960 organizava happenings, *concebeu na época a ideia de montar "com absoluta fidelidade"* O desejo pego pelo rabo, *delirante texto teatral escrito por Picasso em 1941, no qual, entre outros disparates, um personagem feminino, La Tarte, urina em cena durante dez minutos seguidos, acocorada sobre o alçapão do ponto. (Para conseguir fazer isso — conta Lebel — sua liquefaciente atriz precisou ingerir litros de chá e abundantes infusões de cerejas.) Em razão desse projeto, ele teve uma entrevista com o pintor no início de 1966, e Picasso lhe mostrou uma coleção de desenhos e pinturas de tema erótico, de sua época barcelonesa, que nunca tinham sido expostos. Desde então Lebel teve a ideia de organizar uma exposição que, sem eufemismos nem censuras, mostrasse a potência do sexo no mundo picassiano. Esta ideia se concretizou quase quatro décadas depois, com uma ampla exposição de 330 obras, muitas delas nunca expostas, no Jeu de Paume de Paris, onde ficou de março a maio de 2001. Depois, viajou para Montreal e Barcelona.*

A primeira pergunta que o espectador faria, depois de percorrer a excitante exposição (o adjetivo nunca foi mais bem empregado), é por que demorou a ocorrer. Haviam sido feitas inúmeras exposições sobre a obra de um artista cuja influência deixou marcas em todos os terrenos da arte moderna, mas, até então, nunca uma específica so-

bre o tema do sexo, que, como demonstraria de maneira inequívoca a exposição reunida por Lebel e Gérard Régnier, obcecou o pintor e o induziu — sobretudo em certas épocas extremas, como a juventude e a velhice — a expressar-se nesse campo com notável desenvoltura e audácia, em desenhos, esboços, objetos, gravuras e telas que, à parte o valor artístico desigual, o revelavam em sua intimidade mais secreta — de seus desejos e fantasias eróticas — e iluminavam com luz especial o restante de sua obra.

"Arte e sensualidade são a mesma coisa", disse Picasso a Jean Leymarie, e em outra ocasião assegurou que "não existe arte casta". Embora semelhantes afirmações talvez não sejam válidas para todos os artistas, em seu caso o foram, sem dúvida. Por que, então, o próprio Picasso contribuiu para ocultar durante tanto tempo esse aspecto de sua produção artística, que existiu sempre, ainda que em certos períodos essa existência fosse subterrânea e rigorosamente vedada ao público? Por razões ideológicas e comerciais, diz Jean-Jacques Lebel em interessante diálogo com Geneviève Beerette. Durante seu período stalinista, enquanto fazia o retrato de Stalin e denunciava "os massacres da Coreia", para Picasso o erotismo teria sido uma fonte de conflitos com o Partido Comunista (ao qual estava afiliado), que defendia a ortodoxia estética do realismo socialista, em que não havia lugar para a "decadente" exaltação do prazer sexual. Mais tarde, aconselhado por seus galeristas, concordou que essa variante de sua obra continuasse sendo ocultada por se temer que ela ofendesse o puritanismo dos colecionadores norte-americanos e isso lhe restringisse esse opulento mercado. Fraquezas humanas a que os gênios não estão imunes.

Em todo caso, a partir de 2001 já foi possível pousar o olhar sobre o Picasso integral, universo dotado de tantas constelações que chega a nos causar vertigem. Como pôde a imaginação de um mortal isolado gerar tão desmesurada efervescência? É uma interrogação que não tem resposta, que nos deixa tão atônitos em se tratando de Picas-

so como de Rubens, Mozart ou Balzac. A trajetória de sua obra, com sua diversidade de etapas, temas, formas, motivos, é um percurso por todas as escolas e movimentos artísticos do século XX, dos quais ele se alimenta, ao mesmo tempo que os fecunda com um tom próprio e inconfundível. Depois, projeta-se para o passado e o traz de volta ao presente em esboços biográficos, evocações, caricaturas, releituras, que mostram tudo o que há de atual e fresco nos velhos mestres. Evidentemente, o sexo nunca esteve ausente em nenhum dos períodos em que a crítica dividiu e organizou a obra de Picasso, nem mesmo durante os anos do cubismo. Embora, algumas vezes, ele se manifeste com recato, de maneira simbólica e por meio de alusões, de outras vezes, as mais frequentes, irrompe com insolente nudez e crueza, em imagens que parecem desafios às convenções do erotismo, ao refinamento e às pudicas perspectivas com que a arte tradicionalmente descreveu o amor físico, para torná-lo compatível com a moral estabelecida.

O sexo que Picasso revela na maioria dessas obras, principalmente dos anos juvenis passados em Barcelona, é elementar, não sublimado por rituais e cerimônias barrocas de uma cultura que disfarça, civiliza e converte em obra de arte o instinto animal, mas o que busca a imediata satisfação do desejo, sem demora, sem subterfúgios, afetações nem distrações. Um sexo de famintos e ortodoxos, não de sonhadores nem requintados. É, por conseguinte, um sexo machista a mais não poder, no qual não existe o homossexualismo masculino, e o feminino é exercido unicamente para gozo e contemplação do observador. Um sexo de homens para homens, primitivos e luxuriosos, em que o falo é rei. A mulher está ali para servir, não para gozar também, e sim para fazer gozar, para abrir as pernas e submeter-se aos caprichos do fornicador, diante do qual aparece frequentemente de joelhos, praticando felação numa postura que é o arquétipo dessa ordem sexual: ao mesmo tempo que dá prazer, a fêmea se rende e adora o macho todo-poderoso. O falo, clamam essas imagens, é acima de tudo poder.

É natural que, para um prazer sexual dessa índole, o recinto privilegiado para a prática do sexo seja o bordel. Nada de desvios sentimentais para essa pulsão que quer saciar uma urgência material e depois esquecer e passar para outra coisa. No bordel, onde o sexo é comprado e vendido, não se adquirem compromissos nem se buscam álibis morais e afetivos de nenhuma espécie; o sexo se expande em sua descarnada verdade, como presente puro, como desavergonhado exercício que não deixa marcas na memória, cópula pura e fugaz, imune ao remorso e à saudade.

As reiteradas imagens desse sexo prostibular, vulgarzinho e carente de imaginação, que cobrem cadernos, cartolinas e telas, seriam monótonas sem as risonhas bravatas que frequentemente brotam nele, jocosas burlas e exageros que manifestam um estado de espírito pleno de entusiasmo e felicidade. Um peixe pornográfico — ¡un maquereau!* *— lambe uma mocinha complacente, mas morta de tédio. São imagens de jucunda vitalidade, manifestos exaltados a favor da vida. E em todas elas, mesmo nos croquis rápidos desenhados na desordem da festa em guardanapos, menus, recortes de jornais, para divertir algum amigo ou deixar testemunho de algum encontro, faísca a destreza daquela mão exímia, o certeiro daquele olhar penetrante, capaz de fixar nuns poucos traços essenciais o vórtice enlouquecido da realidade. A apoteose do bordel na obra de Picasso, claro, é* Les Demoiselles d'Avignon, *que não figurou nessa exposição, mas figuraram muitos dos inumeráveis esboços e as primeiras versões dessa obra excepcional.*

Com o passar dos anos, a aspereza sexual da mocidade vai suavizando-se, carregando-se de símbolos, o desejo vai ramificando-se em personagens da mitologia. Toda a dinastia do Minotauro, em gravuras e telas dos anos 1930, cintila com vigorosa sensualidade e com uma força sexual que exibe seu bestialismo com graça e impu-

---

* Em ictiologia, cavala; na gíria, proxeneta. [N. da T.]

dência, como prova de vida e criatividade artística. Por outro lado, na belíssima série de gravuras dedicadas a Rafael e a La Fornarina, *dos fins dos anos 1960, os embates amorosos do pintor com sua modelo diante dos olhos lascivos de um velho pontífice, que descansa suas flácidas carnes num penico, estão impregnados de velada tristeza. Ali não está ocorrendo apenas a ditosa entrega dos jovens ao amor físico, à voluptuosidade misturada ao fazer artístico, mas também a melancolia do observador, que os anos puseram fora de combate no que diz respeito às justas amorosas, um ex-combatente que precisa resignar-se a gozar contemplando o gozo alheio, enquanto sente que a vida se vai, que à morte de seu sexo logo se seguirá a outra, a definitiva e total. Esse tema se tornará recorrente nos últimos anos de Picasso, e a exposição do Jeu de Paume o revelava em pinturas nas quais aparecia frequentemente, com ênfase patética e pungente, a inconsolável saudade da virilidade perdida, a amargura de se saber arrebatado pela fatídica roda do tempo a essa vertiginosa imersão na fonte da vida, nessa explosão de puro prazer no qual o ser humano tem o vislumbre da mortalidade, que, ironicamente, os franceses chamam de* petite mort, *"pequena morte". Essa morte figurada, e a outra, a do término e da extinção física, são as protagonistas dessas dramáticas pinturas que Picasso continuou pintando quase até o estertor final.*

El País, *Madri, 1º de abril de 2001*

Pedra de Toque
O sexo frio

Diz a lenda que, na noite de núpcias, o jovem Victor Hugo fez amor oito vezes com a esposa, a casta Adèle Foucher. E que, em consequência desse recorde estabelecido pelo fogoso autor de Os Miseráveis *— que, segundo confessou, havia chegado virgem àquela noite nupcial —, Adèle ficou vacinada para sempre contra esse tipo de atividade. (Sua tortuosa aventura adulterina com o feio Sainte-Beuve não teve nada a ver com prazer, e sim com despeito e vingança.)*

O sábio Jean Rostand ria desse recorde de Hugo e o comparava às proezas de outras espécies no campo da fornicação. O que são, por exemplo, as oito efusões consecutivas do vate romântico comparadas aos quarenta dias e às quarenta noites em que o sapo copula com a sapa sem um único instante de descanso? Pois bem, graças a uma aguerrida francesa, a senhora Catherine Millet, anfíbios anuros, coelhos, hipopótamos e outros grandes fornicadores do reino animal encontraram, na medíocre espécie humana, uma êmula capaz de medir-se com eles de igual para igual e até de derrotá-los em números copulatórios.

Quem é a senhora Catherine Millet? Uma distinta crítica de arte, que conta mais de meio século, dirige a redação da Art Press, *em Paris, e é autora de monografias sobre a arte conceitual, o pintor Yves Klein, o designer Roger Tallon, a arte contemporânea e a crítica de vanguarda. Em 1989 foi curadora da seção francesa da Bienal de São Paulo e, em 1995, curadora do pavilhão francês da Bienal de Ve-*

neza. Sua celebridade, porém, é mais recente. Decorre de um ensaio sexual autobiográfico, recém-publicado pela Seuil, La vie sexuelle de Catherine M., *que causou considerável rebuliço e encabeçou a lista de livros mais vendidos na França durante várias semanas.*

Direi desde já que o ensaio da senhora Millet vale bem mais que o ridículo alvoroço que lhe deu publicidade, e também que quem saiu correndo para lê-lo, atraído pelo halo erótico ou pornográfico que o adornava, ficou decepcionado. O livro não é um estimulante sexual nem uma elaborada imagística de rituais a partir da experiência erótica, e sim uma reflexão inteligente, crua, insolitamente franca, que em alguns momentos adota a aparência de informe clínico. A autora debruça-se sobre sua própria vida sexual com a diligência glacial e obsessiva dos miniaturistas que constroem barcos dentro de garrafas ou pintam paisagens em cabeça de alfinete. Direi também que esse livro, embora interessante e valoroso, não é agradável de ler, pois a visão do sexo que ele transmite ao leitor é quase tão cansativa e deprimente quanto a que foi transmitida à senhora Victor Hugo pelas oito investidas maritais de sua noite de núpcias.

Catherine Millet começou a vida sexual bastante tarde — aos 17 anos —, para uma moça da sua geração, a da grande revolução dos costumes, representada por maio de 68. Mas, de imediato, começou a recuperar o tempo perdido, fazendo amor a torto e a direito, por todos os lugares possíveis do corpo, num ritmo alucinante, até atingir números que, segundo calculo, devem ter ultrapassado com vantagem aquele milhar de mulheres que, em sua autobiografia, o incontinente polígrafo belga Georges Simenon se gabava de ter levado para a cama.

Insisto no fator quantitativo porque é o que ela faz na extensa primeira parte do livro, intitulada precisamente "O número", em que ela documenta sua predileção pelos partouzes, *o sexo promíscuo, as orgias. Nos anos 1970 e 1980, antes que a liberdade sexual perdesse ímpeto e, com o fantasma da AIDS, deixasse de ser moda em toda a Europa, a senhora Millet — que se descreve como mulher tímida, disciplinada, um tanto dócil, que nas relações sexuais encontrou uma forma de comunicação com seus congêneres que não lhe ocorre facilmente em outras esferas da vida — fez amor em clubes privados, no Bois de Boulogne, às margens das estradas, em saguões de prédios, bancos públicos, além de casas particulares, e, algumas vezes, na parte traseira de uma camionete, onde, com a ajuda do amigo Éric, que organizava a fila, despachou em algumas horas dezenas de aspirantes.*

Digo aspirantes porque não sei como chamar esses fugazes e anônimos companheiros de aventura da autora. Não clientes, evidentemente, porque Catherine Millet, embora tenha prodigalizado favores com generosidade sem limites, nunca cobrou por isso. Sexo para ela sempre foi passatempo, esporte, rotina, prazer, nunca profissão ou negócio. Apesar da imoderação com que o praticou, diz ela que nunca foi vítima de brutalidades nem se sentiu em perigo; mesmo em situações confinantes com a violência, bastou-lhe uma simples reação negativa para que os circundantes respeitassem sua decisão. Teve amantes e agora tem marido — escritor e fotógrafo, que publicou um álbum de nus da esposa —, mas amante é alguém com quem se supõe existir uma relação um tanto estável, enquanto a maioria dos companheiros sexuais de Catherine Millet aparece como silhuetas de passagem, tomadas e abandonadas com desdém, quase sem que houvesse de permeio algum diálogo entre eles. Indivíduos sem nome, sem rosto, sem história, os homens que desfilam por esse livro, assim como as vaginas furtivas dos livros libertinos, nada mais são que pênis transeuntes. Até agora, na literatura confessional, apenas os varões faziam amor assim, em sequências aleatórias e em grande número, sem nem se preocuparem em saber com quem. Esse livro mostra — e isso talvez seja o que de realmente escandaloso há nele — que estavam enganados os que acreditavam que o sexo em cadeia, transformado em estrita ginástica carnal, completamente dissociado do sentimento e da emoção, era coisa exclusiva de homens.

Convém deixar claro que nessas páginas Catherine Millet não ostenta o menor feminismo. Não exibe sua riquíssima experiência em matéria de sexo como bandeira reivindicatória ou acusação contra os preconceitos e discriminações ainda sofridas pelas mulheres no âmbito sexual. Seu testemunho é desprovido de sermões, e, com o que conta, ela não demonstra a menor pretensão de exemplificar alguma verdade geral, ética, política ou social. Ao contrário, seu individualismo é extremado e muito visível nos escrúpulos de não querer tirar de sua experiência conclusões para todos, sem dúvida porque não acredita que elas existam. Por que então tornou pública, por meio de uma autoautópsia sexual sem precedentes, essa intimidade que a imensa maioria de mulheres e homens esconde a sete chaves? Parece que para ver se assim se entende melhor, se consegue ter a perspectiva suficiente para transformar em conhecimento, em ideias claras e coerentes, esse poço escuro de iniciativas, arrebatamentos, audácias, excessos e, também, confusão que, apesar da liberdade com que foi assumido, o sexo ainda é para ela.

O que mais desconcerta nessa memória é a frieza com que está escrita. A prosa é eficiente, faz questão de ser lúcida, muitas vezes abstrata. Mas a frieza não impregna apenas a expressão e o raciocínio. É também a matéria, o sexo, o que exala um hálito gelado, congelante e, em muitas páginas, deprimente. A senhora Millet afirma que muitos de seus parceiros a satisfizeram e a ajudaram a materializar suas fantasias, e que passou bons momentos com eles. Mas realmente a completam, fazem-na gozar? A verdade é que seus orgasmos parecem mecânicos, resignados e tristes. Ela mesma o dá a entender, de maneira inequívoca, nas páginas finais do livro, quando indica que, apesar da diversidade de pessoas com quem fez amor, nunca se sentiu tão realizada sexualmente como ao praticar ("com a pontualidade de um funcionário") a masturbação. Portanto, nem sempre é certa a disseminada crença machista (esta adjetivação agora já é discutível) de que, em matéria sexual, só na variação se encontra o gosto. Que o diga a senhora Millet: nenhum de seus incontáveis parceiros de carne e osso foi capaz de destronar seu invertebrado fantasma.

Esse livro confirma o que toda literatura centrada no sexual mostrou à saciedade: separado das demais atividades e funções que constituem a existência, o sexo é extremadamente monótono, de um horizonte tão limitado que no final acaba sendo desumanizador. Uma vida imantada pelo sexo, e só por ele, rebaixa essa função a uma atividade orgânica primária, que não é mais nobre nem prazenteira que comer por comer, ou defecar. Só quando a cultura o civiliza e o carrega de emoção e paixão, quando o reveste de cerimônias e rituais, o sexo enriquece extraordinariamente a vida humana, e seus efeitos benéficos se projetam por todas as brenhas da existência. Para que essa sublimação ocorra é imprescindível, como explicou Georges Bataille, que se preservem certos tabus e regras que canalizem e freiem o sexo, de modo que o amor físico possa ser vivido — gozado — como uma transgressão. A liberdade irrestrita e a renúncia à teatralidade e ao formalismo em seu exercício não contribuíram para enriquecer o prazer e a felicidade dos seres humanos graças ao sexo, mas, ao contrário, para banalizá-lo, convertendo em mero passatempo o amor físico, uma das fontes mais férteis e enigmáticas do fenômeno humano.

Além do mais, é bom não esquecer que essa liberdade sexual que se exibe com tanta eloquência no ensaio de Catherine Millet ainda é privilégio de pequenas minorias. Enquanto eu lia esse livro, aparecia na imprensa a notícia da lapidação, numa província do Irã, de uma mulher que um tribunal de aiatolás fanáticos considerou culpada de aparecer em filmes pornográficos. Cabe esclarecer que "pornografia", numa teocracia fundamentalista islâmica, consiste em a mulher mostrar os cabelos. A culpada, de acordo com a lei corânica, foi enterrada numa praça pública até o peito e apedrejada até a morte.

El País, *Madri, 27 de maio de 2001*

V. Cultura, política e poder

Cultura não depende de política, em todo caso não deveria depender, embora isso seja inevitável nas ditaduras, principalmente as ideológicas ou religiosas, aquelas em que o regime se sente autorizado a ditar normas e estabelecer cânones dentro dos quais a vida cultural deve desenvolver-se, sob a vigilância do Estado empenhado em não permitir que ela se afaste da ortodoxia que serve de sustentáculo aos governantes. O resultado desse controle, como sabemos, é a progressiva transformação da cultura em propaganda, ou seja, em sua degeneração por falta de originalidade, espontaneidade, espírito crítico e vontade de renovação e experimentação formal.

Numa sociedade aberta, embora a cultura se mantenha independente da vida oficial, é inevitável e necessário que haja relação e intercâmbios entre cultura e política. Não só porque o Estado, sem reduzir a liberdade de criação e crítica, deve apoiar e propiciar atividades culturais — na preservação e promoção do patrimônio cultural, acima de tudo —, como também porque a cultura deve exercer influência sobre a vida política, submetendo-a a uma contínua avaliação crítica e inculcando-lhe valores e formas que a impeçam de degradar-se. Na civilização do espetáculo, infelizmente, a influência exercida pela cultura sobre a política, em vez de exigir que esta mantenha certos padrões de excelência e integridade, contribui para deteriorá-la moral e civicamente, estimulando o que possa haver nela de pior, como por exemplo a mera farsa. Já vimos que, no compasso da cultura reinante, a política foi substituindo cada vez mais ideias e ideais, debate intelectual e programas, por mera publicidade e aparências. Consequentemente, a popularidade e o sucesso são conquistados não tanto pela inteligência e pela probidade quanto pela demagogia e pelo talento histriônico. Assim, ocorre o curioso paradoxo de que, enquanto nas sociedades autoritárias é a política que corrompe e degrada a cultura, nas democracias modernas é a cultura — ou aquilo que usurpa seu nome — que corrompe e degrada a política e os políticos.

Para ilustrar melhor o que quero dizer, farei um pequeno giro pelo passado, em relação com a vida pública que conheço melhor: a peruana.

Quando entrei na Universidade de San Marcos, em Lima, no ano de 1953, "política" era palavra feia no Peru. A ditadura do general Manuel Apolinario Odría (1948-1956) conseguira o feito de levar grande número de peruanos a achar que "fazer política" significava dedicar-se a uma atividade delituosa, associada à violência social e a tráficos ilícitos. A ditadura impusera uma Lei de Segurança Nacional da República que punha fora da lei todos os partidos, enquanto a censura rigorosa impedia que em jornais, revistas e rádios (a televisão ainda não chegara) aparecesse a menor crítica ao governo. Por outro lado, as publicações e os informativos estavam infestados de louvores ao ditador e a seus cúmplices. O bom cidadão devia dedicar-se ao trabalho e às ocupações domésticas sem se imiscuir na vida pública, monopólio de quem exercia o poder protegido pelas Forças Armadas. A repressão mantinha nas prisões os dirigentes apristas, comunistas e sindicalistas. Centenas de militantes desses partidos e pessoas vinculadas ao governo democrático do doutor José Luis Bustamante y Rivero (1945-1948), derrubado pelo golpe militar de Odría, precisaram exilar-se.

Existia uma atividade política clandestina, mas mínima, em virtude da severidade das perseguições. A Universidade de San Marcos era um dos focos mais intensos dessa ação subterrânea, dividida na prática entre apristas e comunistas, adversários figadais um do outro. Mas eram minoritários dentro da massa de universitários, na qual, por temor ou apatia, também medrara aquele apoliticismo que, como todas as ditaduras, a de Odría quis impor ao país.

A partir de meados da década de 1950 o regime se tornou cada vez mais impopular. E, como consequência, um número crescente de peruanos foi se atrevendo a fazer política, ou seja, a enfrentar o governo e seus capangas e policiais, em comícios, greves, paralisações e publicações, até o obrigar a convocar eleições, que, em 1956, puseram fim ao "ochenio".*

Com o restabelecimento do Estado de direito, a abolição da Lei de Segurança Nacional, o ressurgimento da liberdade de imprensa e do direito de crítica, a legalização dos partidos que haviam sido postos fora da lei e a autorização da criação de outros — Ação Popular, Democracia Cristã e Movimento Social Progressista —, a política voltou ao centro da atualidade, rejuvenescida e prestigiada. Como costuma ocorrer quando uma ditadura é seguida por um regime de liberdades, a vida cívica atraiu muitos peruanos que tinham passado a ver a política com otimismo, como um instrumento de busca de remédios para os males do país. Não exagero se disser que naqueles anos os mais eminentes profissionais, empresários, acadêmicos e cientistas se sentiram chamados a intervir na vida pública, incitados pela vontade desinteressada de servir o Peru. Isso se refletiu no Parlamento eleito

---

* Literalmente, "octênio", período de oito anos. [N. da T.]

em 1956. Desde então o país não voltou a ter um Senado e uma Câmara de Deputados com a qualidade intelectual e moral dos de então. E algo parecido pode ser dito dos que ocuparam ministérios e cargos públicos naqueles anos, ou que, na oposição, fizeram política criticando o governo e propondo alternativas à gestão governamental.

Não digo com isso que os governos de Manuel Prado (1956-1962) e Fernando Belaúnde Terry (1963-1968), com o intervalo de uma Junta Militar (1962-1963) para não perder o costume, foram bem-sucedidos. De fato não foram, pois, em 1968, esse breve parêntese democrático de pouco mais de dez anos desabou mais uma vez por obra de outra ditadura militar — a dos generais Juan Velasco Alvarado e Francisco Morales Bermúdez — que duraria 12 anos (1968-1980). O que quero destacar é que, a partir de 1956 e por um breve intervalo, no Peru a política deixou de ser percebida pela sociedade como uma atividade desprezível e despertou o entusiasmo da maioria, que viu nela uma atividade que podia canalizar as energias e os talentos capazes de transformar aquela sociedade atrasada e empobrecida num país livre e próspero. A política tornou-se decente durante alguns anos porque as pessoas decentes se animaram a fazer política em vez de fugir dela.

Hoje em dia, em todas as pesquisas sobre política uma maioria significativa de cidadãos opina que se trata de atividade medíocre e suja, que repele os mais honestos e capazes e recruta sobretudo nulidades e malandros que a veem como uma maneira rápida de enriquecer. Isso não ocorre apenas no Terceiro Mundo. O desprestígio da política em nossos dias não conhece fronteiras, e isso obedece a uma realidade incontestável: com variantes e matizes próprios de cada país, em quase todo o mundo, tanto no adiantado como no subdesenvolvido, o nível intelectual, profissional e sem dúvida também moral da classe política decaiu. Isso não é privativo das ditaduras. As democracias sofrem esse mesmo desgaste, e sua consequência é o desinteresse pela política, demonstrado pelo grau de abstenções nos processos eleitorais, algo tão frequente em quase todos os países. As exceções são raras. Provavelmente já não restam sociedades nas quais o fazer cívico atraia os melhores.

A que se deve o fato de o mundo inteiro ter chegado a pensar aquilo que todos os ditadores sempre quiseram inculcar nos povos que subjugam, ou seja, que a política é uma atividade vil?

É verdade que, em muitos lugares, a política é ou se tornou de fato suja e vil. "Sempre foi", dizem pessimistas e cínicos. Não, não é verdade que sempre foi nem que seja agora em todos os lugares e da mesma maneira. Em muitos países e em muitas épocas, a atividade cívica alcançou prestígio merecido porque atraía gente valorosa e porque seus aspectos negativos não pareciam prevalecer sobre o idealismo, a honradez e a responsabilidade da maioria da classe política. Em nossa época, esses aspectos negativos da vida política foram amplificados, frequentemente de maneira exagerada e irresponsável pelo jornalismo marrom, com o resultado de que a opinião pública chegou à convicção de que política é atividade de pessoas amorais, ineficientes e propensas à corrupção.

O avanço da tecnologia audiovisual e dos meios de comunicação, que serve para contrapor-se aos sistemas de censura e controle nas sociedades autoritárias, deveria ter aperfeiçoado a democracia e incentivado a participação na vida pública. Mas teve efeito contrário, porque em muitos casos a função crítica do jornalismo foi distorcida pela frivolidade e pela avidez de diversão da cultura reinante. Ao expor ao público, em suas pequenezas e misérias, a intimidade da vida política e diplomática, como fez o Wikileaks de Julian Assange, o jornalismo contribuiu para despojar de respeitabilidade e seriedade uma atividade que, no passado, conservava certa aura mítica, de espaço fecundo para o heroísmo civil e para as iniciativas audazes a favor dos direitos humanos, da justiça social, do progresso e da liberdade. Em muitas democracias, como consequência da frenética busca do escândalo e da bisbilhotice barata que se encarniça com os políticos, o que o grande público conhece melhor sobre eles é o que de pior eles podem mostrar. E o que mostram é, em geral, a mesma atividade penosa em que nossa civilização transforma tudo o que toca: uma comédia de fantoches capazes de lançar mão das piores artimanhas para ganhar o favor de um público ávido de diversão.

Não se trata de um problema, porque os problemas têm solução, e este não tem. É uma realidade da civilização de nosso tempo diante da qual não há escapatória. Teoricamente, a justiça deveria fixar os limites a partir dos quais uma informação deixa de ser de interesse público e transgride o direito à privacidade dos cidadãos. Na maioria dos países, semelhante julgamento só está ao alcance de astros e milionários. Nenhum cidadão comum pode arriscar-se a um processo que, além de afogá-lo num mar litigioso, acarretaria altos custos em caso de perda da ação. Por outro lado, muitas vezes os juízes, adotando um critério respeitável, resistem a proferir sentenças que pareçam restringir ou abolir a liberdade de expressão e informação, garantia da democracia.

O jornalismo escandaloso é um perverso enteado da cultura da liberdade. Não pode ser suprimido sem que se inflija ferimento mortal à liberdade de expressão. Como o remédio seria pior que a doença, precisamos suportá-lo, tal como certos tumores são suportados por suas vítimas, pois estas sabem que poderiam perder a vida se tentassem extirpá-los. Não chegamos a esta situação em virtude das maquinações tenebrosas de alguns donos de jornais ou canais de televisão que, ávidos por dinheiro, exploram com total irresponsabilidade as paixões baixas das pessoas. Esta é consequência, não causa.

É o que se comprova nestes dias na Inglaterra, um dos países mais civilizados da Terra e onde se acreditava, até há pouco, que a política conservava elevados padrões éticos e cívicos, só empanados por ocasionais fraudes e tráficos de influência por parte de funcionários isolados. O escândalo de que são protagonistas o poderoso Rupert Murdoch, dono de um império das comunicações, a News Corporation, e o diário londrino *News of the World* — que aquele se viu obrigado a fechar, apesar de sua imensa popularidade, por ter sido descoberto que ele cometera o crime de grampear telefones de milhares de pessoas, entre as quais membros da Casa Real e uma menina sequestrada, para alimentar o sensacionalismo escandaloso que era o segredo de seu sucesso —, mostrou até que ponto uma imprensa dessa índole pode exercer efeito nefasto sobre as instituições e os políticos. O *News of the World* pagava propina a altos chefes de Scotland Yard, subornava funcionários e políticos e utilizava detetives particulares para bisbilhotar a intimidade de gente famosa. Seu poder era tão grande que ministros, funcionários e até primeiros-ministros cortejavam seus diretores e executivos, temerosos de que o jornal os denegrisse, envolvendo-os em algum escândalo que pusesse a perder sua reputação e seu futuro.

Evidentemente, é bom que tudo isso tenha vindo à tona e oxalá a justiça imponha as punições pertinentes aos culpados. Mas duvido que, com este escarmento, o mal seja erradicado, porque as raízes deste se estendem muito profundamente em todos os estratos da sociedade.

A raiz do fenômeno está na cultura. Ou melhor, na banalização lúdica da cultura imperante, em que o valor supremo é agora divertir-se e divertir, acima de qualquer outra forma de conhecimento ou ideal. As pessoas abrem um jornal, vão ao cinema, ligam a tevê ou compram um livro para se entreter, no sentido mais ligeiro da palavra, não para martirizar o cérebro com preocupações, problemas, dúvidas. Só para distrair-se, esquecer-se das coisas sérias, profundas, inquietantes e difíceis, e entregar-se a um devaneio ligeiro, ameno, superficial, alegre e sinceramente estúpido. E haverá algo mais divertido que espiar a intimidade do próximo, surpreender um ministro ou um parlamentar de cuecas, investigar os desvios sexuais de um juiz, comprovar que chafurda no lodo quem era visto como respeitável e exemplar?

A imprensa sensacionalista não corrompe ninguém; nasce corrompida por uma cultura que, em vez de rejeitar as grosseiras intromissões na vida privada das pessoas, as reivindica, pois esse passatempo, farejar a imundície alheia, torna mais tolerável a jornada do funcionário pontual, do profissional entediado e da dona de casa cansada. A necedade passou a ser rainha e senhora da vida pós-moderna, e a política é uma de suas principais vítimas.

Na civilização do espetáculo os papéis mais infamantes talvez sejam os que os meios de comunicação reservam aos políticos. E esta é outra das razões de no mundo contemporâneo haver tão poucos dirigentes e estadistas exemplares — como um Nelson Mandela ou uma Aung Sam Suu Kyi — que mereçam admiração universal.

Outra consequência de tudo isso é a escassa ou nula reação do grande público aos níveis de corrupção que, tanto nos países desenvolvidos quanto nos chamados em vias de desenvolvimento, seja nas sociedades autoritárias, seja nas democracias, talvez sejam os mais elevados da história. A cultura esnobe e despreocupada adormenta, cívica e moralmente, uma sociedade que desse modo se torna cada vez mais indulgente para com os desvios e excessos dos que ocupam cargos públicos e exercem qualquer tipo de poder. Por outro lado, esse relaxamento moral ocorre quando a vida econômica progrediu tanto em todo o planeta e alcançou tal grau de complexidade, que a fiscalização do poder que a sociedade pode exercer através da imprensa independente e da oposição é muito mais difícil que no passado. E as coisas se agravam quando o jornalismo, em vez de exercer sua função fiscalizadora, se dedica principalmente a entreter seus leitores, ouvintes e telespectadores com escândalos e sensacionalismos. Tudo isso favorece uma atitude tolerante ou indiferente no grande público em relação à imoralidade.

Nas últimas eleições peruanas, o escritor Jorge Eduardo Benavides ficou espantado com o fato de um taxista de Lima ter-lhe dito que ia votar em Keiko Fujimori, filha do ditador que está cumprindo pena de 25 anos de prisão por roubos e assassinatos. "O senhor não se importa de o presidente Fujimori ter roubado?" — perguntou ao taxista. "Não", respondeu este, "porque Fujimori só roubou o justo". O justo! Essa expressão resume de maneira insuperável tudo o que estou tentando explicar. A avaliação mais confiável do dinheiro subtraído por Alberto Fujimori e por seu homem forte, Vladimiro Montesinos, nos dez anos de poder (1990-2000), feita pela Procuradoria da Nação, é de uns 6 bilhões de dólares, dos quais a Suíça, a Grande Caiman e os Estados Unidos devolveram até agora ao Peru apenas 184 milhões. Não era só aquele taxista que achava aceitável esse volume de roubo, pois a filha do ditador, embora tenha perdido as eleições de 2011, esteve a ponto de ganhar: Ollanta Humala a derrotou pela pequena diferença de três por cento.

Nada desmoraliza tanto uma sociedade nem desacredita tanto as instituições como o fato de seus governantes, eleitos em eleições mais ou menos limpas, aproveitarem o poder para enriquecer burlando a confiança pública neles depositada. Na América Latina — e também em outras regiões do mundo, evidentemente — o fator mais importante de criminalização da atividade pública tem sido o narcotráfico. É uma indústria que apresentou modernização e crescimento prodigiosos, pois aproveitou a globalização melhor que qualquer outra para estender suas redes além das fronteiras, diversificar-se, metamorfosear-se e reciclar-se na legalidade. Seus enormes ganhos lhe possibilitam infiltrar-se em todos os setores do Estado. Como pode pagar melhores salários que este, compra ou suborna juízes, parlamentares, ministros, policiais, legisladores e burocratas, ou faz intimidações e chantagens que, em muitos lugares, lhe garantem impunidade. Praticamente não se passa um só dia sem que em algum país latino-americano se descubra um novo caso de corrupção vinculado ao narcotráfico. A cultura contemporânea, em vez de mobilizar o espírito crítico da sociedade e sua vontade de combater esse estado de coisas, faz que tudo isso seja percebido e vivido pelo grande público com a resignação e o fatalismo com que se aceitam os fenômenos naturais — terremotos e *tsunamis* — e como uma representação teatral que, embora trágica e sangrenta, produz emoções fortes e agita a vida cotidiana.

Evidentemente a cultura não é a única culpada da desvalorização da política e da função pública. Outra razão para que profissionais e técnicos mais bem preparados se afastem da vida política está nos valores baixos com que os cargos públicos costumam ser remunerados. Na prática, em nenhum país do mundo os salários de uma repartição pública são comparáveis aos que um jovem com boas credenciais e talento chega a ganhar numa empresa privada. A restrição nos salários dos funcionários públicos é uma medida que costuma ter o apoio da opinião pública, principalmente quando a imagem do servidor do Estado está desacreditada, mas seus efeitos acabam sendo perniciosos para o país. Esses baixos salários são um incentivo para a corrupção. E afastam dos organismos públicos os cidadãos de melhor formação e maior honestidade, o que significa que esses cargos frequentemente são preenchidos por incompetentes e por pessoas de escassa moral.

Para que uma democracia funcione perfeitamente é indispensável uma burocracia capaz e honesta, como as que, no passado, fizeram a grandeza da França, da Inglaterra ou do Japão, para citar apenas três casos exemplares. Em todos eles, até época relativamente recente, servir o Estado era trabalho cobiçado porque merecia respeito, honorabilidade e a consciência de estar contribuindo para o progresso da nação. Esses funcionários, em geral, recebiam salários dignos e certa segurança no que se refere ao futuro. Embora muitos pudessem ganhar mais em empresas privadas, preferiam o serviço público porque o que deixavam de receber neste era compensado pelo fato de que o trabalho realizado os fazia sentir-se respeitados, pois seus concidadãos reconheciam a importância da função que exerciam. Em nossos dias, isso desapareceu quase completamente. O funcionário está tão desprestigiado quanto o político profissional, e a opinião pública costuma vê-lo não como uma peça-chave do progresso, mas como um tropeço e um parasita do tesouro público. Evidentemente, a inflação burocrática, o crescimento irresponsável no número de funcionários para retribuir favores políticos e criar clientelas cativas às vezes transformou a administração pública num labirinto em que o menor trâmite se converte num pesadelo para o cidadão que carece de meios de influências e não pode ou não quer pagar propinas.

Mas é injusto generalizar e pôr todos no mesmo saco, quando há muitos que resistem à apatia e ao pessimismo e demonstram com seu discreto heroísmo que a democracia funciona, sim.

Uma crença tão disseminada quanto injusta é que as democracias liberais estão sendo minadas pela corrupção, que esta acabará por realizar aquilo que o extinto comunismo não conseguiu: derrubá-las. Acaso não são descobertos diariamente, nas democracias antigas e nas novíssimas, casos nauseabundos de governantes e funcionários aos quais o poder político serve para amealhar fortunas com uma velocidade vertiginosa? Não são incontáveis os casos de juízes subornados, contratos ilícitos, impérios econômicos que têm em sua folha de pagamentos militares, policiais, ministros, agentes alfandegários? Acaso a podridão do sistema não atinge tal nível que só resta resignar-se, aceitar que a sociedade é e será uma selva onde as feras sempre devorarão os cordeiros?

É essa atitude pessimista e cínica, e não a ampla corrupção, que pode efetivamente acabar com as democracias liberais, transformando-as numa casca esvaziada de substância e verdade, aquilo que os marxistas ridicularizavam com o apelido de democracia "formal". É uma atitude inconsciente em muitos casos, que se traduz como desinteresse e apatia em relação à vida pública, ceticismo em relação às instituições, relutância em pô-las à prova. Quando consideráveis parcelas de uma sociedade devastada pela inconsequência sucumbem ao catastrofismo e à anomia cívica, o campo fica livre para os lobos e as hienas.

Não há uma razão fatídica para que isso ocorra. O sistema democrático não garante que a desonestidade e o embuste desapareçam das relações humanas; mas estabelece alguns mecanismos para minimizar seus estragos, detectar, denunciar e punir quem quer que se valha deles para atingir altas posições ou enriquecer, e — o que é mais importante — para reformar o sistema de tal maneira que esses delitos acarretem cada vez mais riscos para quem os cometer.

Atualmente não há nenhuma democracia em que as novas gerações aspirem a servir o Estado com o mesmo entusiasmo com que até há poucos anos os jovens idealistas do Terceiro Mundo se entregavam à ação revolucionária. Essa entrega, nos anos 1960 e 1970, levou às montanhas e selvas de quase toda a América Latina centenas de moços que viam na revolução socialista um ideal digno do sacrifício da vida. Estavam equivocados ao acreditarem que o comunismo era preferível à democracia, evidentemente, mas não se pode negar que tinham um comportamento coerente com um ideal. Hoje, em outras regiões do mundo, como Afeganistão, Paquistão ou Iraque, jovens imbuídos de fundamentalismo islâmico oferecem a própria vida, transformando-se em bombas humanas para destruir dezenas de inocentes em mercados, ônibus e escritórios, convictos de que essas imolações purificarão o mundo de sacrílegos, concupiscentes e cruzados. Evidentemente semelhante loucura terrorista merece condenação e repúdio.

Mas, o que está ocorrendo hoje em dia no Oriente Médio acaso não nos devolve o entusiasmo, ao mostrar que a cultura da liberdade está viva e é capaz de provocar uma guinada radical na história de uma região onde isso parecia quase impossível? O levante dos povos árabes contra as tiranias corrompidas que os exploravam e mantinham no obscurantismo já derrubou três tiranos, o egípcio Mubarak, o tunisiano Ben Ali e o líbio Muamar Kadafi. Todo o restante de regimes autoritários da região, a começar pela Síria, está ameaçado por esse despertar de milhões de homens e mulheres que aspiram a sair do autoritarismo, da censura, do saque das riquezas, a encontrar trabalho e viver sem medo, em paz e liberdade, aproveitando a modernidade.

Esse é um movimento generoso, idealista, antiautoritário, popular e profundamente democrático. Nasceu laico e civil e não foi liderado nem captado pelos sectores fundamentalistas — não ainda, pelo menos — que queiram substituir as ditaduras militares por ditaduras religiosas. Para que isso seja evitado é indispensável que as democracias ocidentais mostrem solidariedade e apoio ativo àqueles que hoje em dia, em todo o Oriente Médio, lutam e morrem para viver em liberdade.

Pois bem, diante do que está ocorrendo ali, cabe perguntar: quantos jovens ocidentais estariam hoje dispostos a enfrentar o martírio pela cultura democrática como fizeram ou estão fazendo líbios, tunisianos, egípcios, iemenitas, sírios e outros? Quantos, que gozam o privilégio de viver em sociedades abertas, amparados por um Estado de direito, arriscariam a vida para defender esse tipo de sociedade? Pouquíssimos, pela simples razão de que a sociedade democrática e liberal, apesar de ter criado os mais altos níveis de vida da história e reduzido mais a violência social, a exploração e a discriminação, em vez de despertar adesões entusiastas, costuma provocar tédio e desdém em seus beneficiários, quando não hostilidade sistemática.

Por exemplo, entre os artistas e intelectuais. Comecei a escrever estas linhas num momento em que, na ditadura cubana, um dissidente, Orlando Zapata, se deixara morrer depois de 85 dias de greve de fome em protesto contra a situação dos presos políticos da ilha, e outro, Guillermo Fariñas, agonizava depois de várias semanas de privação de alimentos. Por esses dias li na imprensa espanhola insultos contra eles por parte de um ator e um cantor, ambos famosos, que, repetindo as palavras de ordem da ditadura caribenha, os chamavam de "delinquentes". Nenhum deles via diferença entre Cuba e Espanha em matéria de repressão política e falta de liberdade. Como explicar semelhantes atitudes? Fanatismo? Ignorância? Simples estupidez? Não. Frivolidade. Os bufões e os comediantes, transformados em *maîtres à penser* — mentores — da sociedade contemporânea, opinam conforme aquilo que são: o que há de estranho nisso? Suas opiniões parecem corresponder a supostas ideias progressistas, mas, na verdade, repetem um roteiro esnobe de esquerda: balançar o coreto, dar o que falar.

Não é ruim que os maiores privilegiados pela liberdade critiquem as sociedades abertas, nas quais há muitas coisas criticáveis; é ruim que o façam tomando o partido de quem quer destruí-las e substituí-las por regimes autoritários como a Venezuela ou Cuba. A traição de muitos artistas e intelectuais aos ideais democráticos não é a princípios abstratos, mas a bilhões de pessoas de carne e osso que, nas ditaduras, resistem e lutam para alcançar a liberdade. O mais triste, porém, é que essa traição às vítimas não corresponde a princípios e convicções, mas ao oportunismo profissional e a poses, gestos e atrevimentos de circunstância. Muitos artistas e intelectuais de nosso tempo tornaram-se muito baratos.

Um aspecto nevrálgico de nossa época, que contribui para enfraquecer a democracia, é o desapego à lei, outra das gravíssimas consequências da civilização do espetáculo.

Atenção, não se deve confundir esse desapego à lei com a atitude rebelde ou revolucionária de quem quer destruir a ordem legal existente porque a considera intolerável e aspira a substituí-la por outra mais equitativa e justa. O desapego à lei não tem nada a ver com essa vontade reformista ou revolucionária, em que se aninha uma esperança de mudança e a aposta numa sociedade melhor. Essas atitudes na cultura de nosso tempo praticamente se extinguiram com o grande fracasso dos países comunistas, cujo final foi selado pela queda do Muro de Berlim em 1989, pelo desaparecimento da União Soviética e pela transformação da China Popular num país de economia capitalista, mas de política vertical e autoritária. Restam, evidentemente, aqui e acolá herdeiros dessa utopia vencida, mas trata-se de grupos e grupelhos minoritários sem maior perspectiva de futuro. Os últimos países comunistas do planeta, Cuba e Coreia do Norte, são dois anacronismos vivos, países de museu, que não podem servir de modelo a ninguém. E casos como a Venezuela do comandante Hugo Chávez, que agora se debate numa crise econômica sem precedentes, apesar de suas ricas reservas de petróleo, mal poderiam servir para ressuscitar no mundo o modelo comunista que nos anos 1960 e 1970 chegou a entusiasmar importantes setores do Primeiro e do Terceiro Mundo.

O desapego à lei nasceu no seio dos Estados de direito e consiste numa atitude cívica de desprezo ou desdém pela ordem legal existente e na indiferença e anomia moral que autoriza o cidadão a transgredir e burlar a lei quantas vezes puder para benefício próprio, principalmente lucrando, mas muitas vezes também para simplesmente manifestar desprezo, incredulidade ou zombaria em relação à ordem existente. Não são poucos os que, na era da civilização da diversão, violam a lei para divertir-se, como quem pratica um esporte de risco.

Uma explicação que se dá para o desapego à lei é que amiúde as leis são malfeitas, não são ditadas para favorecer o bem comum, mas sim a interesses particulares, ou são concebidas com tanta obtusidade que os cidadãos se veem estimulados a esquivar-se delas. É óbvio que, se um governo sobrecarregar os contribuintes abusivamente de impostos, estes se verão tentados a fugir de suas obrigações tributárias. As más leis não contrariam apenas os interesses dos cidadãos comuns, mas também desprestigiam o sistema legal e fomentam esse desapego à lei que, como um veneno, corrói o Estado de direito. Sempre houve maus governos e sempre houve leis disparatadas ou injustas. Mas, numa sociedade democrática, diferentemente das ditaduras, há maneiras de denunciar, combater e corrigir esses extravios através dos mecanismos de participação do sistema: liberdade de imprensa, direito de crítica, jornalismo independente, partidos de oposição, eleições, mobilização da opinião pública, tribunais. Mas para que isso ocorra é imprescindível que o sistema democrático conte com a confiança e a sustentação dos cidadãos, aos quais, sejam quantas forem suas falhas, ele sempre pareça perfectível. O desapego à lei resulta da destruição dessa confiança, da sensação de que o próprio sistema está podre, e de que as más leis que ele produz não são exceções, e sim consequência inevitável da corrupção e dos tráficos que constituem sua razão de ser. Uma das consequências diretas da desvalorização da política por obra da civilização do espetáculo é o desapego à lei.

Lembro que uma das impressões mais fortes que tive, em 1966, quando fui morar na Inglaterra — havia passado os sete anos anteriores na França —, foi descobrir esse respeito, poderia dizer natural — espontâneo, instintivo e racional ao mesmo tempo —, do inglês comum pela lei. A explicação parecia ser a crença firmemente arraigada nos cidadãos de que, em geral, as leis eram bem concebidas, de que sua finalidade e fonte de inspiração era o bem comum, de que, por isso mesmo, tinham legitimidade *moral:* portanto, aquilo que a lei autorizava estava bem e era bom, e o que ela proibia estava mal e era ruim. Surpreendi-me porque na França, na Espanha, no Peru e na Bolívia, países onde morara antes, não tinha percebido nada semelhante. Essa identificação entre lei e moral é uma característica anglo-saxônica e protestante, não costuma existir nos países latinos nem hispânicos. Nestes últimos os cidadãos tendem mais a resignar-se à lei do que a ver nela a encarnação de princípios morais e religiosos, a considerar a lei como um corpo estranho (não necessariamente hostil nem antagônico) às suas crenças espirituais.

De qualquer maneira, se essa distinção era verdadeira nos bairros em que vivi em Londres, provavelmente já não o é na atualidade, pois, em grande parte graças à globalização, o desapego à lei igualou países anglo-saxões e latinos e hispânicos.

O desapego pressupõe que as leis são obra de um poder que não tem outra razão de ser senão a de servir a si mesmo, ou seja, às pessoas que o encarnam e administram, e que, portanto, as leis, os regulamentos e as disposições que emanam dele têm como lastro o egoísmo e os interesses particulares e de grupos, o que exonera moralmente o cidadão comum de cumpri-los. A maioria costuma acatar a lei porque não tem outra opção, por medo, ou seja, pela percepção de que há mais prejuízo que benefício em tentar infringir as normas, mas essa atitude enfraquece tanto a legitimidade e a força da ordem legal quanto das pessoas que delinquem ao infringi-las. Isso quer dizer que, no que se refere à obediência à lei, a civilização contemporânea também representa um simulacro, que, em muitos lugares e com frequência, se converte em pura farsa.

E em nenhum outro campo se vê melhor esse generalizado desapego à lei hoje em dia do que no reinado onipresente da pirataria de livros, discos, vídeos e demais produtos audiovisuais, principalmente a música, que, quase sem obstáculos e até — seria possível dizer — com o beneplácito geral, fincou raízes em todos os países da Terra.

No Peru, por exemplo, a pirataria de vídeos e filmes provocou a falência da cadeia Blockbuster, e desde então os peruanos que gostam de ver filmes no televisor, mesmo querendo, não conseguem adquirir DVDs legais porque estes quase não existem no mercado, salvo em algumas poucas lojas que importam alguns títulos e os vendem por preço altíssimo. O país inteiro se aprovisiona de filmes piratas, principalmente na fantástica feira Polvos Azules, em Lima, onde, à vista de todos — inclusive dos policiais que protegem o local dos assaltos de ladrões —, são vendidos diariamente por poucos soles — centavos de dólares — milhares de vídeos e DVDs piratas de filmes clássicos ou modernos, muitos dos quais nem chegaram ainda aos cinemas da cidade. A indústria pirata é tão eficiente que, se o cliente não encontrar o filme que está procurando, poderá encomendá-lo e em poucos dias o terá em seu poder. Cito o caso de Polvos Azules pela enormidade do lugar e por sua eficiência comercial. Transformou-se em atração turística. Há gente que sai do Chile e da Argentina para ir comprar filmes piratas em Lima e assim enriquecer sua videoteca particular. Mas essa feira não é o único lugar onde a pirataria prospera a olhos vistos e com a complacência geral. Quem se recusaria a comprar filmes piratas que custam meio dólar se os legais (que quase nem são encontrados) valem cinco vezes mais? Agora os vendedores de DVDs piratas estão por toda parte, e conheço pessoas que os encomendam a seus "fornecedores" por telefone, pois há também serviço em domicílio. Nós que, por uma questão de princípio, resistimos a comprar filmes piratas somos um punhado ínfimo de pessoas, consideradas (não sem alguma razão) imbecis.

O mesmo ocorre com livros. A pirataria editorial prosperou de maneira notável, principalmente no mundo subdesenvolvido, e as campanhas contra ela, feita pelos editores e pelas Câmaras do Livro, costumam fracassar estrepitosamente, em vista do pequeno ou nulo apoio que recebem dos governos e, sobretudo, da população, que não tem escrúpulo algum em comprar livros ilegais, alegando o baixo preço de venda, se comparados com o livro legítimo. Em Lima, um escritor, crítico e professor universitário fez publicamente o elogio da pirataria editorial, alegando que, graças a ela, os livros chegavam ao povo. O roubo que a pirataria representa contra o editor legítimo, o autor e o Estado, a quem o editor pirata sonega impostos, não é absolutamente levado em conta pela simples razão da generalizada indiferença à legalidade. A pirataria editorial começou como indústria artesanal, mas, graças à impunidade de que goza, modernizou-se a tal ponto que não se pode descartar a possibilidade de, em países como o Peru, ocorrer com os livros o que ocorreu com os filmes de DVD: os piratas levarem à falência os editores legais e se tornarem donos do mercado. A Alfaguara, editora que me publica, calcula que para cada livro meu legítimo vendido no Peru, vendem-se seis ou sete piratas. (Uma das edições piratas de meu romance *A Festa do Bode* foi impresso na gráfica do Exército!)

Mas pior ainda que o caso dos filmes e dos livros é o da música. Não só pela proliferação de CDs piratas, como também pela agilidade e total impunidade com que os usuários da internet baixam canções, concertos e discos da rede. Todas as campanhas para acabar com a pirataria no âmbito da música foram inúteis e, de fato, muitas empresas fonográficas faliram ou estão à beira da falência por causa dessa concorrência desleal que o público, em flagrante manifestação de desapego à lei, mantém viva e crescente.

O que digo a respeito de filmes, discos, livros e música em geral também vale, claro, para um sem-número de produtos manufaturados, perfumes, roupas, sapatos. Numa das últimas vezes em que estive em Roma, precisei acompanhar uns amigos turistas a uma grande "feira de imitações" (piratas de roupa e sapatos de grandes marcas) que, com etiqueta e tudo, se vendiam por um quarto ou um quinto do preço das peças legítimas. De maneira que esse desapego à lei não é apenas predisposição do Terceiro Mundo. No Primeiro também começa a fazer estragos e ameaça a sobrevivência das indústrias e dos comércios que operam dentro da legalidade.

O desapego à lei nos leva de maneira inevitável a uma dimensão mais espiritual da vida em sociedade. O grande desprestígio da política relaciona-se sem dúvida com a ruptura da ordem espiritual que, no passado, pelo menos no mundo ocidental, funcionava como freio aos exageros e excessos cometidos pelos donos do poder. Ao desaparecer essa tutela espiritual da vida pública, prosperaram todos os demônios que degradaram a política e induziram os cidadãos a não ver nela nada que seja nobre e altruísta, e sim uma atividade dominada pela desonestidade.

A cultura deveria preencher esse vazio que outrora era ocupado pela religião. Mas é impossível que isso ocorra se a cultura, atraiçoando essa responsabilidade, se orienta resolutamente para a facilidade, esquiva-se aos problemas mais urgentes e transforma-se em mero entretenimento.

Antecedentes

Pedra de Toque
O privado e o público

Desde que comecei a ler os livros e os artigos de Fernando Savater — deve fazer uns trinta anos — ocorre-me com ele algo que não me ocorre com nenhum outro escritor de minha preferência: quase nunca discordo de seus julgamentos e críticas. Suas razões, geralmente, me convencem de imediato, mesmo que para isso eu precise retificar radicalmente aquilo em que até então acreditava.

Opinando sobre política, literatura, ética e até cavalos (dos quais não sei nada, a não ser que nunca acertei uma única aposta nas raras vezes em que pisei num hipódromo), Savater sempre me pareceu um modelo de intelectual engajado, homem de princípios e ao mesmo tempo pragmático, um dos raros pensadores contemporâneos capazes de enxergar sempre claro no intrincado bosque que é este século XXI e de nos orientar para encontrarmos o caminho certo, a nós que andamos um tanto perdidos.

Tudo isso vem em função de um artigo dele sobre o Wikileaks e Julian Assange que acabo de ler na revista Tiempo *(número de 23 de dezembro de 2010 a 6 de janeiro de 2011). Peço encarecidamente a quem tiver festejado a divulgação dos milhares de documentos confidenciais do Departamento de Estado dos Estados Unidos como proeza da liberdade que leia este artigo que destila inteligência, coragem e sensatez. Se ele não os fizer mudar de opinião, sem dúvida pelo menos os levará a refletir e perguntar-se se seu entusiasmo não era um tanto precipitado.*

Savater comprova que nessa vasta coleção de materiais vazados não há praticamente revelações importantes, que as informações e opiniões confidenciais que vieram à luz eram já conhecidas ou presumíveis por qualquer observador da atualidade política mais ou menos informado, e que o que prevalece nelas é sobretudo uma bisbilhotice destinada a saciar a frivolidade que, sob a respeitável rubrica da transparência, é na verdade o sacrossanto "direito de todos a saber de tudo: que não haja segredos e confidencialidades que possam contrariar a curiosidade de ninguém [...] caia quem cair e seja lá o que percamos pelo caminho". Esse suposto "direito" é — acrescenta ele — "parte da atual imbecilização social". Concordo com essa afirmação em gênero e número.

A revolução audiovisual de nosso tempo derrubou as barreiras que a censura opunha à livre informação e à discordância crítica, e, graças a isso, os regimes autoritários têm muito menos possibilidade do que no passado de manter seus povos na ignorância e de manipular a opinião pública. Isso, evidentemente, constitui um grande progresso para a cultura da liberdade e devemos aproveitá-lo. Mas daí a concluir que a prodigiosa transformação das comunicações, representada pela internet, autoriza os internautas a saberem de tudo e a divulgarem tudo o que ocorre sob o sol (ou sob a lua), fazendo desaparecer de uma vez por todas a demarcação entre o público e o privado, há um abismo que, se abolido, poderia significar não uma façanha libertária, mas pura e simplesmente um liberticídio que, além de minar as bases da democracia, infligiria duro golpe na civilização.

Nenhuma democracia poderia funcionar se desaparecesse a confidencialidade das comunicações entre funcionários e autoridades, e nenhuma forma de política nos campos da diplomacia, da defesa, da segurança, da ordem pública e até da economia teria consistência se os processos que determinam essas políticas fossem expostos totalmente ao público em todas as suas instâncias. O resultado de semelhante exibicionismo informativo seria a paralisia das instituições, tornando mais fácil para as organizações antidemocráticas travar e anular todas as iniciativas incompatíveis com seus desígnios autoritários. A libertinagem informativa não tem nada a ver com a liberdade de expressão; ao contrário, é seu exato oposto.

Essa libertinagem só é possível nas sociedades abertas, e não nas que estão submetidas ao controle policialesco vertical que pune com ferocidade qualquer tentativa de desrespeitar a censura. Não por acaso os 250 mil documentos confidenciais que o Wikileaks obteve provêm de inconfidentes dos Estados Unidos, e não da Rússia nem da China. Embora as intenções do senhor Julian Assange atendam — conforme ele disse — ao sonho utópico e anarquista da transparência total, suas operações para pôr fim ao "segredo" podem, sim, conduzir ao surgimento, nas sociedades abertas, de correntes de opinião que, com o argumento de defenderem a indispensável confidencialidade dos Estados, proponham freios e limitações a um dos direitos mais importantes da vida democrática: o da livre expressão e da crítica.

Numa sociedade livre a ação dos governos é fiscalizada pelo Congresso, pelo Poder Judiciário, pela imprensa independente e de oposição, pelos partidos políticos, instituições estas que, evidentemente, têm todo o direito de denunciar os enganos e as mentiras a que às vezes recorrem certas autoridades para encobrir ações e negócios ilegais. Mas o que o Wikileaks fez não é nada disso, e sim destruir brutalmente a privacidade das comunicações em que os diplomatas e adidos informam seus superiores sobre os bastidores políticos, econômicos, culturais e sociais dos países onde servem. Grande parte desse material é formada por dados e comentários cuja divulgação, embora não tenha maior importância, cria situações extremamente delicadas para esses funcionários e provoca susceptibilidades, rancores e ressentimentos que só servem para prejudicar as relações entre países aliados e desprestigiar seus governos. Não se trata, pois, de combater uma "mentira", mas realmente de satisfazer a curiosidade mórbida e malsã da civilização do espetáculo, que é a de nosso tempo, em que o jornalismo (como a cultura em geral) parece desenvolver-se guiado pelo objetivo único de entreter. O senhor Julian Assange, mais que um grande lutador libertário, é um bem-sucedido entertainer *ou animador, o Oprah Winfrey da informação.*

Se ele não existisse, nosso tempo o teria criado mais cedo ou mais tarde, porque esse personagem é o símbolo emblemático de uma cultura em que o valor supremo da informação passou a ser divertir um público tolo e superficial, ávido por escândalos que escarafunchem a intimidade dos famosos, mostrem suas fraquezas e enredos e os transformem nos bufões da grande farsa que é a vida pública. Se bem que falar de "vida pública" talvez já seja inexato, pois, para que ela exista, deveria existir também sua contrapartida, a "vida privada", algo que praticamente foi desaparecendo até se transformar num conceito vazio e fora de uso.

O que é privado em nossos dias? Uma das consequências involuntárias da revolução informática foi a volatilização das fronteiras que o separavam do público, confundindo-se ambos num happening *em que todos somos ao mesmo tempo espectadores e atores, em que nos exibimos reciprocamente, ostentamos nossa vida privada e nos divertimos observando a alheia, num* strip tease *generalizado no qual nada ficou a salvo da mórbida curiosidade de um público depravado pela necedade.*

O desaparecimento do privado, o fato de ninguém respeitar a intimidade alheia, de esta ter-se transformado numa paródia que excita o interesse geral e de haver uma indústria informativa que alimenta sem trégua e sem limites esse voyeurismo universal, tudo isso é manifestação de barbárie. Pois com o desaparecimento da esfera privada muitas das melhores criações e funções do humano se deterioram e aviltam, a começar por tudo o que está subordinado ao cuidado com certo formalismo, como o erotismo, o amor, a amizade, o pudor, os bons modos, a criação artística, o sagrado e a moral.

Diante do fato de governos eleitos em eleições legítimas poderem ser derrubados por revoluções que querem trazer o paraíso para a terra (embora muitas vezes tragam o inferno), que fazer? Diante do surgimento de conflitos e até de guerras sanguinárias entre países que defendem religiões, ideologias ou ambições incompatíveis, que desgraça! Mas que semelhantes tragédias possam chegar a ocorrer porque nossos privilegiados contemporâneos se entediam e precisam de diversões fortes, e um internauta esperto como Julian Assange lhes dá o que pedem, não, não é possível nem aceitável.

El País, *Madri, 16 de janeiro de 2011*

VI. O ópio do povo

Ao contrário do que imaginavam os livres-pensadores, agnósticos e ateus dos séculos XIX e XX, na era pós-moderna a religião não está morta e enterrada nem foi posta no desvão das coisas imprestáveis: está viva e ativa, ocupando um lugar central na atualidade.

Não há como saber, evidentemente, se o fervor dos crentes e praticantes das diversas religiões existentes no mundo aumentou ou diminuiu. Mas ninguém pode negar a presença que o tema religioso tem na vida social, política e cultural contemporânea, provavelmente igual ou superior à que tinha no século XIX, quando as lutas intelectuais e cívicas favoráveis ou contrárias ao laicismo eram preocupação central em grande número de países de ambos os lados do Atlântico.

Para começar, o grande protagonista da política atual, o terrorista suicida, visceralmente ligado à religião, é um subproduto da versão mais fundamentalista e fanática do islamismo. O combate da Al-Qaeda e seu líder, o finado Osama bin Laden, não devemos esquecer, é acima de tudo religioso, ofensiva purificadora contra os maus muçulmanos e renegados do islã, assim como contra os infiéis, nazarenos (cristãos) e degenerados do Ocidente encabeçados pelo Grande Satã, os Estados Unidos. No mundo árabe a confrontação que mais violências gerou tem caráter inequivocamente religioso, e o terrorismo islamita fez até agora mais vítimas entre os próprios muçulmanos que entre os seguidores de outras religiões. Principalmente se levarmos em conta o número de iraquianos mortos ou mutilados por obra dos grupos extremistas xiitas e sunitas, bem como os assassinados no Afeganistão pelos talibãs, movimento fundamentalista nascido nos madraçais ou escolas religiosas afegãs e paquistanesas, que, assim como a Al-Qaeda, nunca vacilou em assassinar muçulmanos que não compartilhem seu puritanismo fundamentalista.

As divisões e os conflitos diversos que percorrem as sociedades muçulmanas não contribuíram em nada para atenuar a influência da religião na vida dos povos, e sim para exacerbá-la. Em todo caso, não é o laicismo que ganhou terreno; ao contrário, em países como o Líbano e a Palestina, os focos laicistas encolheram nos últimos anos com o crescimento, como forças políticas, do Hezbolá ("Partido de Deus") libanês e do Hamás, que obteve o controle da Faixa de Gaza em eleições limpas. Esses partidos, assim como o Jihad Islâmico da Palestina, têm origem fundamentalmente religiosa. E, nas primeiras eleições livres realizadas na história da Tunísia e do Egito, a maioria dos votos favoreceu os partidos islâmicos (mais moderados).

Enquanto isso ocorre no seio do islamismo, não se pode dizer que a convivência entre as diversas denominações, igrejas e seitas cristãs seja sempre pacífica. Na Irlanda do Norte a luta entre a maioria protestante e a minoria católica, agora interrompida (oxalá para sempre), deixou uma espantosa quantidade de mortos e feridos pelas ações criminosas dos extremistas de ambos os lados. Também nesse caso o conflito político entre unionistas e independentistas foi acompanhado por um antagonismo religioso simultâneo e mais profundo, como entre as facções adversárias do islã.

O catolicismo vive grandes conflitos em seu seio. Até há alguns anos, o mais intenso era entre os tradicionalistas e os progressistas promotores da Teologia da Libertação, luta que, depois da entronização de dois pontífices da linha conservadora — João

Paulo II e Bento XVI — parece ter-se resolvido, por enquanto, com o encurralamento (não a derrota) desta última tendência. Agora, o problema mais agudo enfrentado pela Igreja católica é a revelação de uma poderosa tradição de violações e pedofilia em colégios, seminários, albergues e paróquias, truculenta realidade sugerida havia anos por indícios e suspeitas que, durante muito tempo, a Igreja conseguiu silenciar. Mas, nos últimos anos, em vista de ações e denúncias judiciais das próprias vítimas, esses abusos sexuais foram vindo à tona em tão grande número que não se pode falar de casos isolados, mas sim de práticas muito disseminadas no espaço e no tempo. O fato provocou arrepios no mundo inteiro, sobretudo entre os próprios fiéis. O aparecimento de testemunhos de milhares de vítimas em quase todos os países católicos levou a Igreja em certos lugares, como a Irlanda e os Estados Unidos, à beira da falência em vista das elevadíssimas somas que se viu obrigada a gastar na defesa perante os tribunais ou no pagamento por danos e prejuízos causados às vítimas de violações e maus-tratos sexuais cometidos por sacerdotes. Apesar de seus protestos, está evidente que pelo menos parte da hierarquia eclesiástica — as acusações nesse sentido atingiram o próprio pontífice — foi cúmplice dos religiosos pedófilos e violadores, protegendo-os, negando-se a denunciá-los às autoridades e limitando-se a mudá-los de lugar, sem os afastar de suas tarefas sacerdotais, entre as quais o ensino de menores. A severíssima condenação por parte do papa Bento XVI dos Legionários de Cristo, declarando sua reorganização integral, e de seu fundador, o padre Marcial Maciel, mexicano, bígamo, incestuoso, vigarista, estuprador de meninos e meninas, inclusive de um de seus próprios filhos — personagem que parece saído dos romances do marquês de Sade —, não dissipa as sombras que tudo isso lançou sobre uma das mais importantes religiões do mundo.

Todo esse escândalo contribuiu para reduzir a influência da Igreja católica? Eu não me atreveria a afirmá-lo. É verdade que em muitos países fecham-se seminários por falta de noviços, e que, em comparação com o que ocorria antes, esmolas, doações, heranças e legados que a Igreja recebia diminuíram. Mas, num sentido não numérico, seria possível dizer que as dificuldades aguçaram a energia e a militância dos católicos, que nunca estiveram mais ativos em suas campanhas sociais, manifestando-se contra casamentos gays, legalização do aborto, práticas anticoncepcionais, eutanásia e laicismo. Em países como a Espanha a mobilização católica — tanto da hierarquia como das organizações seculares da Igreja —, de impressionante amplitude, em alguns momentos atinge tal virulência que de modo algum se poderia considerar tratar-se de uma Igreja em retirada ou com a corda no pescoço. O poder político e social, exercido na maior parte dos países latino-americanos pela Igreja católica, continua incólume, e a isso se deve o fato de, em matéria de liberdade sexual e de liberação da mulher, os avanços serem mínimos. Na grande maioria de países ibero-americanos, a Igreja católica conseguiu que a "pílula" e a "pílula do dia seguinte" continuem sendo ilegais, assim como toda e qualquer forma de prática anticonceptiva. A proibição, claro, só é efetiva para as mulheres pobres, pois da classe média para cima os anticoncepcionais, assim como o aborto, são amplamente utilizados, apesar da proibição legal.

Coisa parecida pode ser dita das igrejas protestantes. Muitas vezes com o apoio dos católicos, nos Estados Unidos elas tomaram a iniciativa de mobilizar-se para que o ensino escolar se ajuste aos postulados da Bíblia, e seja abolida dos currículos a teoria de Darwin sobre a seleção das espécies e a evolução, sendo esta substituída pelo "criacionismo", ou "projeto inteligente", postura anticientífica que, por mais anacrônica e obscurantista que pareça, não é impossível que chegue a prevalecer em certos estados norte-americanos onde a influência religiosa é muito grande no campo político.

Por outro lado, a ofensiva missionária protestante na América Latina e em outras regiões do Terceiro Mundo é enorme, decidida e obteve resultados notáveis. Em muitos lugares afastados e marginalizados, de extrema pobreza, as igrejas evangélicas ocuparam o lugar do catolicismo, que, por falta de sacerdotes ou por esmorecimento do fervor missionário, cedeu terreno às impetuosas igrejas protestantes. Estas têm boa acolhida entre as mulheres por proibir o álcool e pela exigência de dedicação constante às práticas religiosas por parte dos conversos, o que contribui para a estabilidade das famílias e mantém os maridos afastados de bares e bordéis.

A verdade é que em quase todos os conflitos mais sangrentos dos últimos tempos — Israel/Palestina, a guerra dos Bálcãs, as violências de Chechênia, os incidentes da China na região de Xinjiang, onde houve levantes dos uigures, de religião muçulmana, as matanças entre hindus e muçulmanos na Índia, os choques entre esta e o Paquistão etc. — a religião desponta como razão profunda do conflito e da divisão social que está por trás do derramamento de sangue.

O caso da URSS e dos países satélites é instrutivo. Com a derrubada do comunismo, depois de setenta anos de perseguição às igrejas e de pregação ateia, a religião não só não desapareceu, como também renasceu e voltou a ocupar lugar proeminente na vida social. Isso ocorreu na Rússia, onde as igrejas se enchem de novo e os popes reaparecem no mundo oficial e em todos os lugares, e também nas antigas sociedades que viveram sob o controle soviético. Com a queda do comunismo, a religião, ortodoxa ou católica, floresce de novo, o que indica que nunca desapareceu, apenas se manteve adormecida e oculta para resistir ao assédio, contando sempre com o apoio discreto de amplos setores da sociedade. O renascimento da Igreja ortodoxa russa é impressionante. Os governos sob a presidência de Putin e depois de Medvedev começaram a devolver igrejas e propriedades religiosas confiscadas pelos bolcheviques, e está em andamento até mesmo a devolução das catedrais do Kremlin, assim como conventos, escolas, obras de arte e cemitérios que outrora pertenceram à Igreja. Calcula-se que, desde a queda do comunismo, o número de fiéis ortodoxos triplicou em toda a Rússia.

A religião, portanto, não dá sinais de eclipsar-se. Tudo indica que tem vida para muito tempo. Isso é bom ou ruim para a cultura e a liberdade?

Não deixam dúvidas as respostas dadas pelo cientista britânico Richard Dawkins, que publicou um livro contra a religião e em defesa do ateísmo — *Deus, um delírio* —, nem a do jornalista e ensaísta Christopher Hitchens, autor de outro livro recente, intitulado significativamente *Deus não é grande: como a religião envenena tudo*. Mas na recente polêmica que ambos protagonizaram atualizando as antigas acusações de obscurantismo, superstição, irracionalidade, discriminação de gênero, autoritarismo e conservadorismo retrógrado contra as religiões, houve também numerosos cientistas, como o prêmio Nobel de Física Charles Tornes (que patrocina a tese do "projeto inteligente") e publicitários que, com não menos entusiasmo, defenderam suas crenças religiosas e refutaram os argumentos segundo os quais a fé em Deus e a prática religiosa são incompatíveis com a modernidade, o progresso, a liberdade e as descobertas e verdades da ciência contemporânea.

Essa não é uma polêmica que se possa vencer ou perder por meio de razões, porque são sempre antecedidas por um *parti pris:* um ato de fé. Não há maneira de demonstrar racionalmente que Deus existe ou não existe. Qualquer raciocínio a favor de uma tese tem seu equivalente na tese contrária, de modo que em torno desse assunto qualquer análise ou discussão que queira restringir-se ao campo das ideias e razões deve começar por excluir a premissa metafísica e teológica — existência ou inexistência de Deus — e concentrar-se nos resultados e nas consequências derivados daquela: a função de igrejas e religiões no desenvolvimento histórico e na vida cultural dos povos, assunto que está dentro do verificável pela razão humana.

Um dado fundamental que deve ser levado em conta é que a crença num ser supremo, criador do que existe e em outra vida que antecede e sucede à vida terrena, é parte de todas as culturas e civilizações conhecidas. Não há exceções a essa regra. Todas têm seu deus ou seus deuses e todas confiam em outra vida depois da morte, embora as características dessa transcendência variem infinitamente, segundo o tempo e o lugar. Qual o motivo de os seres humanos de todas as épocas e geografias terem adotado essa crença? Os ateus respondem de imediato: a ignorância e o medo da morte. Homens e mulheres, seja qual for seu grau de informação ou cultura, do mais primitivo ao mais refinado, não se resignam com a ideia da extinção definitiva, de que sua existência seja um fato passageiro e acidental, e, por isso, precisam da existência de outra vida e de um ser supremo que a presida. A força da religião é tanto maior quanto maior for a ignorância de uma comunidade. Quando o conhecimento científico vai limpando as crostas e as superstições da mente humana e substituindo-as por verdades objetivas, toda a construção artificial dos cultos e crenças, com que o primitivo tenta explicar o mundo, a natureza e o mundo oculto, começa a fender-se. Esse é o princípio do fim para essa interpretação mágica e irracional da vida e da morte, o que, ao fim e ao cabo, fará a religião fenecer e evaporar.

Essa é a teoria. Na prática tais coisas não ocorreram nem dão sinal de vir a ocorrer. O desenvolvimento do conhecimento científico e tecnológico foi prodigioso (nem sempre benéfico) desde a época das cavernas e permitiu que o ser humano conhecesse profundamente a natureza, o espaço estelar, seu próprio corpo, investigasse seu passado, travasse batalhas decisivas contra as doenças e elevasse as condições de vida dos povos de maneira inimaginável para nossos ancestrais. Mas, salvo em relação a minorias relativamente pequenas, não conseguiu arrancar Deus do coração dos homens nem extinguir as religiões. O argumento dos ateus é que se trata de um processo ainda em marcha, que o avanço da ciência não se deteve, continua progredindo e, cedo ou tarde, chegará o final desse combate atávico em que Deus e a religião desaparecerão, expulsos da vida dos povos pelas verdades científicas. É difícil aceitar esse artigo de fé dos liberais e progressistas à moda antiga quando o cotejamos com o mundo de hoje, que o desmente em todos os lugares: Deus nos cerca pelos quatro cantos e, mascaradas com disfarces políticos, as guerras religiosas continuam causando à humanidade tantos estragos quantos causaram na Idade Média. Isso não demonstra que Deus existe efetivamente, mas que uma grande maioria de seres humanos, entre os quais muitos técnicos e cientistas de destaque, não se conforma em renunciar a essa divindade que lhe garante alguma forma de sobrevivência depois da morte.

Além do mais, não foi só a ideia da morte, da extinção física, que manteve viva a transcendência ao longo da história. Há também a crença complementar de que, para tornar esta vida suportável, é necessária, indispensável, uma instância superior à terrena, onde se recompense o bem e se castigue o mal, onde haja distinção entre boas e más ações, sejam reparadas as injustiças e crueldades de que somos vítimas e sejam punidos os que as infligem. A realidade é que, apesar de todos os avanços da sociedade desde os tempos antigos em matéria de justiça, não há comunidade humana na qual o grosso da população não tenha o sentimento e a convicção absoluta de que a justiça total não é deste mundo. Todos creem que, por mais equitativa que seja a lei, por mais respeitável que seja o corpo de magistrados encarregados de administrar a justiça, ou por mais honrados e dignos que sejam os governos, a justiça nunca chega a ser uma realidade tangível e ao alcance de todos, que defenda o indivíduo comum, o cidadão anônimo, de abusos, desrespeito e discriminação por parte dos poderosos. Por isso, não é de estranhar que a religião e as práticas religiosas estejam mais arraigadas nas classes e nos setores mais desfavorecidos da sociedade, aqueles que, por sua pobreza e vulnerabilidade, mais sofrem abusos e vexames de todos os tipos que, de modo geral, permanecem impunes. Suporta melhor a pobreza, a discriminação, a exploração e o desrespeito quem acredita que após a morte haverá desagravo e reparação para tudo isso. (Por esse motivo Marx chamou a religião de "ópio do povo", droga que anestesia o espírito rebelde dos trabalhadores e possibilita que seus senhores vivam tranquilos a explorá-los.)

Outra razão pela qual os seres humanos se aferram à ideia de um deus todo-poderoso e de uma vida ultraterrena é que quase todos desconfiam (uns mais e outros menos) que, caso essa ideia desaparecesse e se instalasse como verdade científica inequívoca que Deus não existe e que a religião nada mais é que um embuste desprovido de substância e realidade, no curto ou longo prazo sobreviriam a barbarização generalizada da vida social, a regressão selvagem à lei do mais forte e a conquista do espaço social pelas tendências mais destrutivas e cruéis que se aninham no homem e, em última instância, são freadas e atenuadas não pelas leis humanas nem pela moral preconizada pela racionalidade dos governantes, e sim pela religião. Em outras palavras, se há algo que ainda possa ser chamado de moral, um corpo de normas de conduta que propiciem o bem, a coexistência na diversidade, a generosidade, o altruísmo, a compaixão e o respeito ao próximo, que rechacem a violência, o abuso, o roubo, a exploração, esse algo é a religião, a lei divina, e não as leis humanas. Desaparecido esse antídoto, a vida iria se tornando aos poucos uma barafunda de selvageria, prepotência e excesso, em que os donos de qualquer forma de poder — político, econômico, militar etc. — se sentiriam livres para cometer todos os roubos concebíveis, dando vazão a seus instintos e apetites mais destrutivos. Se esta vida é a única que temos, se não há nada depois dela e vamos nos extinguir para todo o sempre, por que não tentaríamos aproveitá-la da melhor maneira possível, ainda que isso significasse precipitar nossa própria ruína e semear ao nosso redor as vítimas de nossos instintos desbragados? Os homens se empenham em crer em Deus porque não confiam em si mesmos. E a história demonstra que não deixam de ter razão, pois até agora não demonstramos que somos confiáveis.

Isso não quer dizer, evidentemente, que a vigência da religião garanta o triunfo do bem sobre o mal neste mundo e a eficácia de uma moral que impeça a violência e a crueldade nas relações humanas. Quer dizer apenas que, por pior que ande o mundo, um obscuro instinto leva grande parte da humanidade a pensar que ele iria pior ainda se os ateus e laicos extremados atingissem seu objetivo de erradicar Deus e a religião de nossa vida. Isso só pode ser intuição ou crença (outro ato de fé): não há estatística capaz de provar que é assim ou o contrário. Finalmente, há uma última razão, filosófica ou, mais propriamente, metafísica para tão prolongado arraigamento de Deus e da religião na consciência humana. Ao contrário do que acreditavam os livres-pensadores, nem conhecimento científico nem cultura em geral — muito menos a cultura devastada pela frivolidade — são suficientes para libertar o homem da solidão em que o submerge o pressentimento da inexistência de um além-mundo, de uma vida ultraterrena. Não se trata de medo da morte, de espanto ante a perspectiva da extinção total, mas sim da sensação de desamparo e extravio nesta vida, aqui e agora, que surge no ser humano diante da simples suspeita da inexistência de outra vida, de um além a partir do qual um ser ou alguns seres mais poderosos e sábios que os humanos conheçam e determinem o sentido da vida, da ordem temporal e histórica, ou seja, do mistério dentro do qual nascemos, vivemos e morremos, e de cuja sabedoria possamos nos aproximar o suficiente para entender nossa própria existência de um modo que lhe dê sustentação e justificação. Com todos os seus avanços, a ciência não conseguiu desvendar esse mistério, e é de se duvidar que venha a conseguir. Pouquíssimos seres humanos são capazes de aceitar a ideia do "absurdo existencialista" de estarmos "lançados" aqui no mundo por obra de um acaso incompreensível, um acidente estelar, de nossa vida ser mera casualidade desprovida de ordem e coerência, de tudo o que ocorra ou deixe de ocorrer com ela depender exclusivamente de nossa conduta e vontade e da situação social e histórica em que nos achamos inseridos. Essa ideia, que Albert Camus descreveu em *O mito de Sísifo* com lucidez e serenidade, da qual extraiu belas conclusões sobre a beleza, a liberdade e o prazer, é capaz de submergir o comum dos mortais na anomia, na paralisia e no desespero.

No ensaio inicial de *El hombre y lo divino,* "Do nascimento dos deuses", María Zambrano se pergunta: "Como e por que os deuses nasceram?". A resposta que ela encontra é ainda anterior e mais profunda que a mera consciência do desamparo, da solidão e da vulnerabilidade por parte do homem primitivo. Na verdade, diz ela, é constitutivo, é uma "necessidade abissal, definidora da condição humana", sentir diante do mundo aquela "estranheza" que provoca no ser humano um "delírio de perseguição" que só cessa, ou pelo menos se aplaca, quando ele reconhece e sente ao seu redor aqueles deuses cuja existência ele pressentia, que o faziam viver na aflição e no frenesi antes de reconhecê-los e de incorporá-los em sua existência. María Zambrano estuda o caso específico dos deuses gregos, mas suas conclusões valem para todas as civilizações e culturas. Se não fosse assim, pergunta ela mesma, "Por que sempre houve deuses, de diversos tipos, certamente, mas, afinal, deuses?”. A resposta a essa interrogação é dada em outro ensaio do livro, “A marca do paraíso”, e não pode ser mais convincente: “E nos dois pontos extremos que marcam o horizonte humano, o passado perdido e o futuro por criar, resplandece a sede e o anseio de uma vida divina sem deixar de ser humana, uma vida divina que o homem sempre parece ter tido como modelo preliminar, que se foi desenhando através da confusão em imagens variegadas, como um raio de luz pura que se colorisse ao atravessar a turva atmosfera das paixões, da necessidade e do sofrimento”.* Nos anos 1960 vivi, em Londres, uma época em que uma nova cultura irrompeu com força e dali se estendeu por boa parte do mundo ocidental, a dos hippies ou *flower children*. O que ela trouxe consigo de mais novo e chamativo eram a revolução musical, a dos Beatles e dos Rolling Stones, uma nova estética nos trajes, a reivindicação da maconha e de outras drogas, a liberdade sexual, mas, também, o ressurgimento de uma religiosidade que, afastando-se das grandes religiões tradicionais do Ocidente, voltava-se para o Oriente — budismo e hinduísmo, principalmente, e todos os cultos relacionados com eles —, assim como para inúmeras seitas e práticas religiosas primitivas, muitas de origem duvidosa e, às vezes, fabricadas por gurus de meia-tigela e aproveitadores pitorescos. Contudo, por mais que houvesse ingenuidade, modismo e bobagem nessa tendência, o certo é que por trás daquela proliferação de igrejas e crenças exóticas, genuínas ou farsantes, era evidente que os milhares de jovens de todo o mundo que se voltaram para elas e lhes deram vida, ou peregrinaram para Katmandu como outrora seus avós para os Lugares Santos ou os muçulmanos para Meca, mostraram de maneira palpável essa necessidade de vida espiritual e transcendência, de que apenas

---

* María Zambrano, *El hombre y lo divino*, Barcelona, Círculo de Lectores, Opera Mundi, 1999, p. 145-149 e 429.

pequenas minorias ao longo da história se livraram. Não deixa de ser instrutivo, a propósito, que tantos inconformistas e rebeldes contra a primazia do cristianismo tenham sucumbido depois ao feitiço e às prédicas religioso-psicodélicas de personagens como o pai do LSD, Timothy Leary, o Maharishi Mahesh Yogi, santo e guru favorito dos Beatles, ou o profeta coreano dos *moonies* e da Igreja da Unificação, o reverendo Sun Myung Moon.

Muitos levaram pouquíssimo a sério este ressurgimento de religiosidade superficial, tingido de pitoresco, candura, parafernália cinematográfica e proliferação de cultos e igrejas promovidos por publicidade barulhenta e de mau gosto, como produtos comerciais de consumo doméstico. Mesmo sendo recentes, às vezes grotescamente embusteiras, aproveitando-se da incultura, da ingenuidade e da frivolidade de seus adeptos, nada disso é obstáculo para que tais igrejas prestem a estes algum serviço espiritual e os ajudem a preencher um vazio na vida, tal como ocorre a milhões de outros seres humanos com as igrejas tradicionais. Não se explica de outra maneira o fato de algumas dessas igrejas que surgiram recentemente, como a cientologia fundada por L. Ron Hubbard e favorecida por alguns astros de Hollywood, entre eles Tom Cruise e John Travolta, terem resistido aos ataques que sofreram em países como a Alemanha, onde foi acusada de lavagem cerebral, exploração de menores e constituição de um verdadeiro império econômico internacional. Nada tem de surpreendente o fato de na civilização da pantomima a religião se aproximar do circo e às vezes se confundir com ele.

Para fazer um balanço da função que foi desempenhada pelas religiões ao longo da história humana é imprescindível separar os efeitos que elas produziram no âmbito privado e individual e no público e social. Não devem ser confundidos, pois assim seriam perdidos matizes e fatos fundamentais. É evidente que para o crente e praticante a religião tem uma utilidade, seja ela profunda, antiga e popular, ou contemporânea, superficial e minúscula. Ela lhe permite explicar para si mesmo quem é e o que está fazendo neste mundo, proporciona-lhe uma ordem, uma moral para organizar sua vida e sua conduta, esperança de perenidade depois da morte, consolo para o infortúnio, bem como o alívio e a segurança provenientes do sentimento de ser parte de uma comunidade que comunga crenças, ritos e formas de vida. Sobretudo para quem sofre e é vitimado por abusos, exploração, pobreza, frustração e desgraça, a religião é uma tábua de salvação à qual é possível agarrar-se para não sucumbir ao desespero, que anula a capacidade de reação e resistência ao infortúnio e impele ao suicídio.

Do ponto de vista social há também muitas derivações positivas da religião. No caso do cristianismo, por exemplo, foi uma verdadeira revolução para seu tempo a ampla pregação do perdão, inclusive aos inimigos, que, segundo ensinava Cristo, deviam ser amados tanto quanto os amigos, e a transformação da pobreza em valor moral, que Deus premiaria na outra vida ("os últimos serão os primeiros"), assim como a condenação da riqueza e do rico, feita por Jesus no Evangelho segundo São Mateus (19,24): "É mais fácil um camelo passar pelo buraco de uma agulha do que um rico entrar no reino dos céus." O cristianismo propôs a fraternidade universal, combatendo os preconceitos e a discriminação entre raças, culturas e etnias e afirmando que todas elas, sem exceção, são filhas de Deus e bem-vindas na casa do Senhor. Embora tenham demorado para abrir caminho e traduzir-se em formas de conduta por parte de Estados e governos, essas ideias e pregações contribuíram para aliviar as formas mais brutais de exploração, discriminação e violência, humanizar a vida no mundo antigo e assentar as bases daquilo que, com o correr do tempo, seria o reconhecimento dos direitos humanos, a abolição da escravatura, a condenação do genocídio e da tortura. Em outras palavras, o cristianismo deu um impulso determinante ao nascimento da cultura democrática. No entanto, ao mesmo tempo que, por um lado, servia a essa causa com a filosofia implícita em sua doutrina, por outro — sobretudo em sociedades que não haviam passado por um processo de secularização — ele seria um dos maiores obstáculos para que a democracia se expandisse e arraigasse. Nisso, não foi diferente de nenhuma outra religião. As religiões só admitem e proclamam verdades absolutas e cada qual rejeita as das outras de maneira categórica. Todas elas aspiram não só a conquistar a alma e o coração dos seres humanos, como também sua conduta. Enquanto foi uma religião das catacumbas, marginal, perseguida, de gente pobre e desvalida, o cristianismo representou uma forma de civilização que contrastava com a barbárie dos pagãos, com suas violências insanas, com seus preconceitos e superstições, com os excessos de sua vida e com sua desumanidade no trato com o outro. Mas, quando se firmou e foi incorporando a suas fileiras as classes dirigentes e passou a cogovernar ou a governar diretamente a sociedade, o cristianismo perdeu o semblante de mansuetude que tinha. No poder, tornou-se intolerante, dogmático, exclusivista e fanático. A defesa da ortodoxia o levou a validar e a cometer violências idênticas ou piores que as infligidas aos primeiros cristãos pelos pagãos, bem como a encabeçar e legitimar guerras e crueldades iníquas contra seus adversários. Sua identificação ou proximidade com o poder o induziu muitas vezes a fazer concessões vergonhosas a reis, príncipes, caudilhos e, em geral, aos poderosos. Se em certas épocas, como o Renascimento, favoreceu o desenvolvimento das artes e das letras — nem Dante nem Piero della Francesca nem Michelangelo teriam sido possíveis sem ela —, a Igreja depois se tornaria, na esfera do pensamento, tão brutalmente repressiva como o foi desde o princípio na esfera da investigação científica, censurando e castigando até mesmo com a tortura e a morte pensadores, cientistas e artistas suspeitos de heterodoxia.

As Cruzadas, a Inquisição, o *Index* são outros tantos símbolos da intransigência, do dogmatismo e da ferocidade com que a Igreja combateu a liberdade intelectual, científica e artística, assim como das duras batalhas que os grandes lutadores precisaram travar pela liberdade nos países católicos. Nos países protestantes houve menos intolerância para com a ciência e uma censura menos estrita para com a literatura e as artes, mas a rigidez não foi menor que nas sociedades católicas no que se refere à família, ao sexo e ao amor. Em ambos os casos, a discriminação da mulher sempre teve a Igreja como cabeça, e em ambos também a Igreja incentivou ou tolerou o antissemitismo.

Só com a secularização a Igreja iria aceitando o fato (ou melhor, resignando-se a ele) de que era preciso dar a César o que era de César e a Deus o que é de Deus. Ou seja, admitir uma divisão estrita entre o espiritual e o temporal, aceitar que sua soberania fosse exercida no primeiro, e que, no segundo, se respeitasse o que fosse decidido por todos os cidadãos, cristãos ou não. Sem esse processo de secularização que separou a Igreja do governo temporal não teria havido democracia, sistema que significa coexistência na diversidade, pluralismo cívico e também religioso, e leis que podem não só não coincidir com a filosofia e a moral cristãs como também discordar delas radicalmente. Durante a Revolução Francesa, entre os setores anarquistas e comunistas da Segunda República Espanhola ou num período importante da Revolução Mexicana e nas Revoluções da Rússia e da China, a secularização da sociedade foi entendida como luta frontal contra a religião até que esta fosse extirpada da sociedade. Incendiaram-se conventos e igrejas, assassinaram-se religiosos e crentes, proibiram-se as práticas litúrgicas, erradicou-se da educação toda e qualquer forma de ensino cristão e houve intensa promoção do ateísmo e do materialismo. Tudo isso foi não só cruel e injusto, mas principalmente inútil. As perseguições tiveram um efeito de poda, pois, após algum tempo, as crenças e as práticas religiosas renasceram com mais viço. França, Rússia e México são na atualidade os melhores exemplos disso.

Secularização não pode significar perseguição, discriminação nem proibição a crenças e cultos, e sim liberdade irrestrita para que os cidadãos exerçam e vivam sua fé sem o menor tropeço, desde que respeitem as leis ditadas pelos parlamentos e pelos governos democráticos. A obrigação destes é garantir que ninguém seja incomodado ou perseguido em razão de sua fé e, ao mesmo tempo, atuar de tal maneira que as leis sejam cumpridas, mesmo que se afastem das doutrinas religiosas. Isso ocorreu em todos os países democráticos em assuntos como divórcio, aborto, controle da natalidade, homossexualismo, casamentos gays, eutanásia, descriminalização das drogas. De maneira geral, a Igreja limitou sua reação a protestos legítimos, como manifestos, comícios, publicações e campanhas destinadas a mobilizar a opinião pública contra as reformas e disposições que ela rejeita, embora haja em seu seio instituições e clérigos extremistas que incentivam as práticas autoritárias da extrema direita.

A preservação do secularismo é requisito indispensável à sobrevivência e ao aperfeiçoamento da democracia. Para saber disso basta voltar o olhar para as sociedades onde o processo de secularização é nulo ou mínimo, como ocorre na grande maioria dos países muçulmanos. A identificação do Estado com o islamismo — os casos extremos são agora a Arábia Saudita e o Irã — foi um obstáculo insuperável para a democratização da sociedade e serviu — serve ainda, embora pareça que finalmente teve início um processo emancipador no mundo árabe — para preservar sistemas ditatoriais que impedem a livre coexistência das religiões e exercem controle abusivo e despótico sobre a vida privada dos cidadãos, punindo-os com dureza (que pode chegar à prisão, à tortura e à execução) quando eles se afastam das prescrições da única religião tolerada. Não era muito diferente a situação das sociedades cristãs antes da secularização e assim continuaria sendo se esse processo não tivesse ocorrido. Catolicismo e protestantismo reduziram sua intolerância e aceitaram coexistir com outras religiões não porque sua doutrina fosse menos totalizadora e intolerante que a do islamismo, mas porque foram a tanto forçados pelas circunstâncias, por alguns movimentos e pela pressão social que puseram a Igreja na defensiva e a obrigaram a adaptar-se aos costumes democráticos. Não é verdade que o islamismo seja incompatível com a cultura da liberdade, não menos que o cristianismo, em todo caso. A diferença é que nas sociedades cristãs, com o impulso de movimentos políticos inconformistas e rebeldes e de uma filosofia laica, houve um processo que obrigou a religião a privatizar-se, a desestatizar-se, e com isso a democracia prosperou. Na Turquia, graças a Mustafa Kemal Atatürk, a sociedade viveu um processo de secularização (impulsionado por métodos violentos) e, há alguns anos, apesar de a maioria dos turcos ser de confissão muçulmana, a sociedade foi-se abrindo para a democracia muito mais do que no resto dos países islâmicos.

O laicismo não é contrário à religião; é contrário à transformação da religião em obstáculo para o exercício da liberdade e em ameaça ao pluralismo e à diversidade que caracterizam as sociedades abertas. Nestas, a religião pertence à esfera privada e não deve usurpar as funções do Estado, que deve manter-se laico precisamente para evitar no âmbito religioso o monopólio que é sempre fonte de abuso e corrupção. A única maneira de exercer a imparcialidade que garante o direito de todos os cidadãos a professar a religião que bem queiram ou a rejeitá-las todas é ser laico, ou seja, não subordinado a instituição religiosa alguma em seus deveres funcionais. Enquanto se mantiver no âmbito privado, a religião não será um perigo para a cultura democrática, e sim seu alicerce e complemento insubstituível.

Aqui entramos num assunto difícil e controvertido, sobre o qual não há unanimidade de opinião entre os democratas, nem mesmo entre os liberais. Por isso devemos avançar nesse terreno com prudência, evitando as minas com que está semeado. Assim como tenho a firme convicção de que o laicismo é insubstituível numa sociedade realmente livre, com não menos firmeza acredito que, para ser livre, é igualmente necessário que na sociedade prospere uma intensa vida espiritual — o que, para a grande maioria, significa vida religiosa —, pois, caso contrário, as leis e as instituições, por mais bem concebidas que sejam, não funcionam cabalmente e muitas vezes se deterioram ou corrompem. A cultura democrática não é feita apenas de instituições e leis que garantam equidade, igualdade perante a lei, igualdade de oportunidades, mercados livres, justiça independente e eficaz, o que implica juízes probos e capazes, pluralismo político, liberdade de imprensa, sociedade civil forte, direitos humanos. É feita também e sobretudo da convicção arraigada entre os cidadãos de que esse sistema é o melhor possível e da vontade de fazê-lo funcionar. Isso não pode ser realidade sem valores e paradigmas cívicos e morais profundamente ancorados no corpo social, algo que, para a imensa maioria de seres humanos, é indistinguível das convicções religiosas. É verdade que desde os séculos XVIII e XIX, no mundo ocidental, houve entre os setores de livres-pensadores (sempre minoritários) cidadãos exemplares cujo agnosticismo ou ateísmo não foi obstáculo para condutas cívicas irrepreensíveis, marcadas por honestidade, respeito à lei e solidariedade social. Foi o que ocorreu na Espanha, durante as primeiras décadas do século XX com tantos mestres e mestras que, imbuídos da ideologia anarquista, graças à sua moral laica, de alto civismo, se transformaram em verdadeiros missionários sociais que, fazendo grandes sacrifícios pessoais e levando vida espartana, se esforçaram por alfabetizar e formar os setores mais empobrecidos e marginalizados da sociedade. Poderiam ser citados muitos exemplos parecidos. Mas, feita esta ressalva, o certo é que essa moral laica só encarnou em grupos reduzidos. Ainda continua sendo realidade indiscutível o fato de que, para as grandes maiorias, é a religião a fonte primeira e maior dos princípios morais e cívicos que dão sustento à cultura democrática. E de que, quando a religião começa a esmorecer, a perder dinamismo e crédito e a tornar-se superficial e frívola, mero ornamento social (como ocorre em nossos dias nas sociedades livres, tanto do Primeiro como do Terceiro Mundo), o resultado é prejudicial e pode chegar a ser trágico para o funcionamento das instituições democráticas.

Isso ocorre em todos os estratos da vida social, mas é sem dúvida na economia que o fenômeno se torna mais visível.

A Igreja católica e o capitalismo nunca se deram bem. Já nos primórdios da Revolução Industrial inglesa, que disparou o desenvolvimento econômico e a economia de mercado, os papas lançaram duros anátemas, em encíclicas e sermões, contra um sistema que, a seu ver, alimentava o apetite por riquezas materiais, o egoísmo e o individualismo, acentuava as diferenças econômicas e sociais entre ricos e pobres e afastava os seres humanos da vida espiritual e religiosa. Há um elemento de verdade nessas críticas, mas elas perdem capacidade persuasiva se situadas em contexto histórico e social mais amplo, o da transformação positiva que para o conjunto dos seres humanos representaram o regime da propriedade privada e a economia livre, em que empresas e empresários concorram de acordo com regras claras e equitativas pela satisfação das necessidades dos consumidores. A esse sistema se deve o fato de boa parte da humanidade ter-se livrado daquilo que Karl Marx chamava de "cretinismo da vida rural", de ter havido progressos na medicina em particular e nas ciências em geral e de terem se elevado os níveis de vida de maneira vertiginosa em todas as sociedades abertas, enquanto as cativas definhavam no regime patrimonialista e mercantilista que conduzia à pobreza, à escassez e à miséria para a maioria da população e ao luxo e à opulência para a cúpula. O mercado livre, sistema não superado e insuperável para a atribuição de recursos, produziu o surgimento das classes médias, que conferem estabilidade e pragmatismo políticos às sociedades modernas, e propiciou uma vida digna à imensa maioria dos cidadãos, algo que não ocorreu antes na história da humanidade.

No entanto, é verdade que esse sistema de economia livre acentua as diferenças econômicas e aumenta o materialismo, o apetite consumista, a posse de riquezas e as atitudes agressivas, beligerantes e egoístas, que, se não encontrarem nenhum freio, poderão chegar a provocar transtornos profundos e traumáticos na sociedade. De fato, a recente crise financeira internacional, que fez todo o Ocidente cambalear, tem como origem a cobiça desenfreada de banqueiros, investidores e financistas que, obcecados pela sede de multiplicar suas receitas, transgrediram as regras do jogo do mercado, enganaram, trapacearam e precipitaram um cataclismo econômico que arruinou milhões de pessoas no mundo.

Por outro lado, nas atividades criativas e, digamos, não práticas, o capitalismo provoca uma confusão total entre *preço* e *valor*, de que este último sempre sai prejudicado, algo que, no curto ou longo prazo, leva à degradação da cultura e do espírito, que é a civilização do espetáculo. O mercado livre fixa os preços dos produtos em função da oferta e da demanda, e por isso em quase todos os lugares, inclusive nas sociedades mais cultas, obras literárias e artísticas de altíssimo valor ficam diminuídas e são deixadas de lado, em virtude de sua dificuldade e da exigência de certa formação intelectual e de uma sensibilidade aguçada para serem totalmente apreciadas. Como contrapartida tem-se que, quando o gosto do grande público determina o valor de um produto cultural, é inevitável que, em muitíssimos casos, escritores, pensadores e artistas medíocres ou nulos, mas vistosos e pirotécnicos, espertos na publicidade e na autopromoção ou hábeis em acalentar os piores instintos do público, atinjam altíssimos níveis de popularidade, pareçam ser os melhores à maioria inculta, e suas obras sejam as mais cotadas e divulgadas. Isso, na esfera da pintura, por exemplo, como vimos, levou ao ponto de as obras de verdadeiros embusteiros alcançarem preços vertiginosos, graças às modas e à manipulação do gosto dos colecionadores por galeristas e críticos. Tais coisas induziram pensadores como Octavio Paz a condenar o mercado e a afirmar que ele foi o grande responsável pela bancarrota da cultura na sociedade contemporânea. O tema é amplo e complexo; abordá-lo em todas as suas vertentes nos levaria muito longe da matéria deste capítulo, que é a função da religião na cultura de nosso tempo. Bastará assinalar, porém, que nessa anarquia e nos múltiplos mal-entendidos que a ruptura entre preço e valor significou para os produtos culturais, também influi, tanto quanto o mercado, o desaparecimento das elites, da crítica e dos críticos, que antes estabeleciam hierarquias e paradigmas estéticos, fenômeno que não está relacionado diretamente com o mercado, mas sim com o empenho de democratizar a cultura e pô-la ao alcance de todos.

Todos os grandes pensadores liberais, de John Stuart Mill a Karl Popper, passando por Adam Smith, Ludwig von Mises, Friedrich Hayek, Isaiah Berlin e Milton Friedman, ressaltaram que a liberdade econômica e política só cumpre cabalmente sua função civilizadora, criadora de riqueza e de empregos, defensora do indivíduo soberano, da vigência da lei e do respeito aos direitos humanos, quando a vida espiritual da sociedade é intensa, mantém viva e inspira uma hierarquia de valores respeitada e acatada pelo corpo social. Segundo eles, esse é o melhor modo de fazer desaparecer ou pelo menos atenuar a ruptura entre preço e valor. O grande fracasso e as crises que não dão trégua ao sistema capitalista — corrupção, tráfico de influências, operações mercantilistas para enriquecer transgredindo a lei, cobiça frenética que explica as grandes fraudes de entidades bancárias e financeiras etc. — não se devem a falhas constitutivas de suas instituições, mas do desmonte desse suporte moral e espiritual encarnado na vida religiosa que funciona como freio e corretivo permanente para manter o capitalismo dentro de certas normas de honestidade, respeito ao próximo e à lei. Quando essa estrutura de caráter ético, invisível mas influente, desaba e se desvanece para grandes setores sociais, sobretudo aqueles que têm maior ingerência e responsabilidade na vida econômica, propaga-se a anarquia, e a economia das sociedades livres começa a ser infectada por aqueles elementos perturbadores que provocam a crescente desconfiança num sistema que parece funcionar só em benefício dos mais poderosos (ou dos mais malandros) e em prejuízo dos cidadãos comuns, carentes de fortuna e privilégios. A religião, que, no passado, deu ao capitalismo uma grande consistência nas consciências, como percebeu Max Weber em seu ensaio sobre a religião protestante e o desenvolvimento do capitalismo, ao banalizar-se até desaparecer em muitas camadas da sociedade moderna — nas elites, precisamente —, contribuiu para provocar essa "crise do capitalismo" de que se fala cada vez mais, ao mesmo tempo que, com o desaparecimento da URSS e a transformação da China em país capitalista autoritário, o socialismo pareceu, para todos os efeitos práticos, ter chegado ao final de sua história.

A frivolidade desarma moralmente uma cultura descrente. Mina seus valores e infiltra em seu exercício práticas desonestas e, às vezes, abertamente delituosas, sem que haja para elas nenhum tipo de sanção moral. E é ainda mais grave se quem delinque —

por exemplo, invadindo a privacidade de alguma pessoa famosa para exibi-la em situação embaraçosa — é premiado com o sucesso midiático e chega a desfrutar dos 15 minutos de fama prognosticados por Andy Warhol para todo o mundo em 1968. Exemplo recentíssimo do que digo é o simpático embusteiro italiano Tommaso Debenedetti, que durante anos publicou em jornais de seu país "entrevistas" com escritores, políticos e religiosos (inclusive o papa), frequentemente reproduzidas em jornais estrangeiros. Todas eram falsas, inventadas de cabo a rabo. Eu mesmo fui um de seus "entrevistados". Quem descobriu foi o romancista norte-americano Philip Roth, que não se reconheceu em algumas declarações a ele atribuídas pelas agências jornalísticas. Começou a seguir a pista da notícia, até dar com o falsário. Aconteceu alguma coisa a Tommaso Debenedetti por ter enganado jornais e leitores com as 79 colaborações falsas detectadas até agora? Punição, nenhuma. A revelação da fraude o tornou um herói midiático, um maroto audaz e inofensivo; sua imagem e sua façanha deram volta ao mundo, como de um herói de nosso tempo. E o fato é que ele o é, embora seja triste reconhecer. Ele se defende com este belo paradoxo: "Menti, mas só para poder dizer uma verdade." Qual? Que vivemos num tempo de fraudes, em que o delito, se for divertido e entretiver o grande número, será perdoado.

Dois assuntos tornaram atual o tema da religião nos últimos anos e provocaram acaloradas polêmicas nas democracias avançadas. O primeiro é se nos colégios públicos administrados pelo Estado e financiados por todos os contribuintes deve ser excluída qualquer forma de ensino religioso e deixar que este se restrinja exclusivamente ao âmbito privado. E o segundo é se nas escolas deve ser proibido o uso de véu, burca e *hijab* por parte das meninas e das jovens.

Abolir inteiramente toda e qualquer forma de ensino religioso nos colégios públicos seria formar as novas gerações com uma cultura deficiente e privá-las de um conhecimento básico para entender sua história, sua tradição e desfrutar da arte, da literatura e do pensamento do Ocidente. A cultura ocidental está impregnada de ideias, crenças, imagens, festividades e costumes religiosos. Mutilar este riquíssimo patrimônio da educação das novas gerações equivaleria a entregá-las com pés e mãos atados à civilização do espetáculo, ou seja, à frivolidade, à superficialidade, à ignorância, à bisbilhotice e ao mau gosto. Um ensino religioso não sectário, objetivo e responsável, no qual se explique o papel hegemônico que foi desempenhado pelo cristianismo na criação e na evolução da cultura do Ocidente, com todas as divisões e cismas, guerras, incidências históricas, sucessos, excessos, santos, místicos, mártires e martirizados, com a maneira como tudo isso influiu, para o bem e para o mal, na história, na filosofia, na arquitetura, na arte e na literatura, será indispensável se quisermos que a cultura não degenere no ritmo em que vem degenerando, e que o mundo do futuro não se divida entre analfabetos funcionais e especialistas ignorantes e insensíveis.

O uso do véu ou das túnicas que cobrem parcial ou inteiramente o corpo da mulher não deveria ser objeto de debate numa sociedade democrática. Acaso nela não existe liberdade? Que tipo de liberdade é esse que impediria uma menina ou uma jovem de vestir-se de acordo com as prescrições de sua religião ou com seu capricho? Contudo, não é nada indubitável que o uso do véu ou da burca seja uma decisão livremente tomada pela menina, jovem ou mulher, que os usa. É muito provável que ela os use não por gosto nem por um ato livre e pessoal, mas sim como símbolo da condição que a religião islâmica impõe à mulher, ou seja, de absoluta servidão ao pai ou ao marido. Nessas condições, o véu e a túnica deixam de ser apenas peças de vestuário e se transformam em emblemas da discriminação que cerca a mulher ainda em boa parte das sociedades muçulmanas. Um país democrático, em nome do respeito às crenças e culturas, deve tolerar que em seu seio continuem existindo instituições e costumes (ou melhor, preconceitos e estigmas) que a democracia aboliu há séculos à custa de grandes lutas e sacrifícios? A liberdade é tolerante, mas não pode sê-lo para aqueles que, com sua conduta, a neguem, escarneçam dela e, afinal de contas, queiram destruí-la. Em muitos casos, o emprego de símbolos religiosos como a burca e o *hijab*, usados pelas meninas muçulmanas nos colégios, é mero desafio à liberdade que a mulher alcançou no Ocidente, liberdade que gostariam de cercear, obtendo concessões e constituindo enclaves soberanos no seio de uma sociedade aberta. Isso significa que, por trás do traje aparentemente inócuo, espreita uma ofensiva que pretende obter direitos para práticas e comportamentos incompatíveis com a cultura da liberdade.

A imigração é indispensável para os países desenvolvidos que queiram assim continuar e, também por essa razão prática, eles devem favorecê-la e acolher trabalhadores de línguas e crenças distintas. Evidentemente, um governo democrático deve facilitar para essas famílias imigrantes a preservação da religião e dos costumes. Mas desde que estes não firam os princípios e as leis do Estado de direito. Este não admite a discriminação nem a submissão da mulher a uma servidão que faz tábua rasa de seus direitos humanos. Uma família muçulmana numa sociedade democrática tem a mesma obrigação das famílias oriundas dessa sociedade a ajustar sua conduta às leis vigentes, mesmo quando estas contradizem costumes e comportamentos inveterados de seus lugares de origem.

Esse é o contexto no qual sempre se deve situar o debate sobre o véu, a burca e o *hijab*. Assim se entenderia melhor a decisão da França, justa e democrática em minha opinião, de proibir categoricamente o uso do véu ou de qualquer outra forma de uniforme religioso para as meninas nas escolas públicas.

Antecedentes

Pedra de Toque
Sinal da cruz

Ninguém deu muita importância na Alemanha àquele casal de discípulos do humanista Rudolf Steiner, que, de uma aldeia perdida da Baviera, moveu há algum tempo uma ação perante o Tribunal Constitucional da República, em Karlsruhe, alegando que seus três filhinhos tinham ficado "traumatizados" com a imagem de Cristo crucificado que eram obrigados a ver, diariamente, como ornamento das paredes da escola pública em que estudavam.

Mas até a última família do país soube — e muitas delas ficaram boquiabertas de estupefação — que o alto Tribunal encarregado de velar pela reta aplicação dos princípios constitucionais na vida política, econômica e administrativa da Alemanha Federal, cujas decisões são inapeláveis, acolhera a queixa. Pela boca de seu presidente, uma eminência jurídica, Johann Friedrich Henschel, os oito magistrados que integravam o tribunal sentenciaram que era insuficiente a oferta da escola bávara, de substituir os crucifixos das paredes por cruzes nuas — para ver se essa simplificação "destraumatizaria" as crianças do litígio —, e ordenaram ao estado da Baviera que retirasse cruzes e crucifixos de todas as salas, pois "em matéria religiosa o Estado deve ser neutro". O Tribunal matizou a sentença estipulando que, só em caso de haver unanimidade absoluta entre pais, professores e alunos, uma escola poderia conservar o símbolo cristão em suas salas de aula. As repercussões do escândalo chegaram até este aprazível lago dos bosques austríacos aonde vim me refugiar para fugir ao calor e à secura de Londres.

O estado da Baviera não é apenas o paraíso do colesterol e dos triglicérides — pois ali se bebe a melhor cerveja e se comem os melhores embutidos do mundo; é também um baluarte do conservadorismo político, e a Igreja católica tem ali sólida implantação (não sugiro uma relação de causa-efeito entre ambas as coisas): mais de 90% dos 850 mil escolares bávaros pertencem a famílias católicas praticantes. A União Social Cristã, versão local e aliada do partido União Democrata Cristã do chanceler Kohl, exerce um domínio político sem concorrentes na região, e seu líder, Theo Waigel, foi o primeiro a protestar contra a sentença do Tribunal Constitucional, num artigo escrito no órgão do partido, o Bayernkurier. *"Em vista do ostensivo empenho do Tribunal em proteger as minorias e relegar cada dia mais a segundo plano as necessidades da maioria, os valores estabelecidos e o patriotismo constitucional estão em perigo" — afirmou.*

Comedida reação, se comparada à do reverendíssimo arcebispo de Munique, cardeal Friedrich Wetter, que foi levado pelo assunto à beira da apoplexia e — ainda mais grave do ponto de vista democrático — da sublevação cívica. "Nem mesmo os nazistas arrancaram as cruzes de nossas escolas", exclamou o cardeal. "Vamos permitir que o que não pôde ser perpetrado por uma ditadura seja realizado por um Estado democrático, regido pela lei?" Claro que não! O cardeal incitou à desobediência civil — nenhuma escola deve acatar a sentença do Tribunal — e convocou uma missa ao ar livre, em 23 de setembro, que sem dúvida atrairá multidões papalinas. O ato será celebrado sob a cadência beligerante de um slogan cunhado pelo mesmíssimo príncipe da Igreja: "Aqui a cruz está e aqui ficará!".

Se os pesquisadores das agências de opinião tiverem feito direito a lição de casa, uma robusta maioria de alemães apoia o rebelado cardeal Wetter: 58% condenam a sentença do Tribunal Constitucional e só 37% a aprovam. O oportuno chanceler Helmut Kohl apressou-se a reconvir os magistrados por uma decisão que lhe parece "contrária à nossa tradição cristã" e "incompreensível do ponto de vista do conteúdo e das consequências que pode acarretar".

O mais grave ainda para a causa defendida pelo Tribunal Constitucional talvez seja o fato de os únicos políticos que até agora saíram em sua defesa terem sido um punhado de parlamentares maltrapilhos e vegetarianos, amantes da clorofila e do jejum — os Verdes — que neste país de tremendos comedores de linguiça e churrasco ninguém leva muito a sério. Seu líder no Parlamento, Werner Schulz, defendeu em Bonn a necessidade de o Estado manter rigorosa neutralidade em assuntos religiosos "precisamente agora que existe uma ameaça contra a liberdade de cultos por obra dos fundamentalistas muçulmanos e de outras seitas". E pediu que o Estado deixe de cobrar o imposto que subsidia a Igreja e substitua os cursos de cristianismo dados nas escolas públicas por um ensino de ética e crenças em geral, sem privilegiar uma religião específica.

Daqui das tonificantes águas frias do lago de Fuschl eu também gostaria de acrescentar minha voz roufenha em apoio ao Tribunal Constitucional da Alemanha e aplaudir seus lúcidos juízes, por uma sentença que, em minha opinião, fortalece o firme processo democratizador que esse país empreendeu desde o final da Segunda Guerra Mundial, o mais importante ocorrido à Europa ocidental com vistas ao futuro. Não porque eu faça o menor reparo estético a crucifixos e cruzes ou porque alimente a mais mínima repulsa a cristãos ou católicos. Muito pelo contrário. Embora não seja crente, estou convicto de que uma sociedade não pode atingir elevada cultura democrática — ou seja, não pode desfrutar cabalmente da liberdade e da legalidade — se não estiver profundamente impregnada dessa vida espiritual e moral que, para a imensa maioria dos seres humanos, é indissociável da religião. É o que adverte Paul Johnson, há pelo menos vinte anos, documentando em seus alentados estudos o papel primordial que a fé e as práticas religiosas cristãs desempenharam no aparecimento de uma cultura democrática no seio das trevas da arbitrariedade e do despotismo em que o gênero humano tropeçava.

Mas, diferentemente de Paul Johnson, também estou convencido de que, se o Estado não preservar seu caráter secular e laico e, cedendo a considerações quantitativas agora esgrimidas pelos adversários do Tribunal Constitucional alemão — por que não seria cristão o Estado se a grande maioria dos cidadãos o é? —, identificar-se com uma Igreja, a democracia estará perdida, no curto ou médio prazo. Por uma razão muito simples: nenhuma Igreja é democrática. Todas elas postulam uma verdade, que tem o avassalador álibi da transcendência e o apadrinhamento espetacular de um ser divino, contra os quais se estilhaçam e pulverizam todos os argumentos da razão, e elas se renegariam — se suicidariam — se fossem tolerantes e maleáveis e se estivessem dispostas a aceitar os princípios elementares da vida democrática, como o pluralismo, o relativismo, a coexistência de verdades contraditórias, as constantes concessões recíprocas para a formação de consensos sociais. Como sobreviveria o catolicismo caso se submetesse ao voto dos fiéis, digamos, o dogma da Imaculada Conceição?

A natureza dogmática e intransigente da religião se evidencia no caso do islamismo porque as sociedades onde ele deitou raízes não passaram pelo processo de secularização que, no Ocidente, separou a religião do Estado e a privatizou, transformando-a num direito individual, em vez de um dever público, e obrigando-a a adaptar-se às novas circunstâncias, ou seja, a restringir-se a uma atividade cada vez mais privada e menos pública. Mas daí a concluir que, se a Igreja recuperasse o poder temporal perdido nas sociedades democráticas modernas, estas continuariam sendo tão livres e abertas como o são agora, é crassa ingenuidade. Convido os otimistas que acreditam nisso, como Paul Johnson, a dar uma olhada naquelas sociedades terceiro-mundistas onde a Igreja católica ainda tem nas mãos o poder de influir de maneira decisiva na criação de leis e no governo da sociedade, e verificar o que acontece ali com a censura cinematográfica, o divórcio e o controle da natalidade — para não falar da descriminalização do aborto —, e entenderão que, quando tem condições para tanto, o catolicismo não vacila um segundo em impor suas verdades a qualquer custo, e não só a seus fiéis, mas também a todos os infiéis que estejam a seu alcance.

Por isso, uma sociedade democrática, se quiser continuar assim, ao mesmo tempo que garante a liberdade de cultos e estimula em seu seio uma intensa vida religiosa, deverá cuidar para que a Igreja — qualquer igreja — não extrapole a esfera que lhe compete, que é a esfera privada, e impedir que ela se infiltre no Estado e comece a impor suas convicções particulares ao conjunto da sociedade, coisa que ela só pode fazer atropelando a liberdade dos não crentes. A presença de uma cruz ou um crucifixo numa escola pública é tão abusiva para quem não é cristão como o seria a imposição do véu islâmico numa classe onde haja meninas cristãs e budistas, além de muçulmanas, ou a quipá judia num seminário mórmon. Visto que, nesse âmbito, não há como respeitar as crenças de todos juntos, a política estatal não pode ser outra senão a neutralidade. Os juízes do Tribunal Constitucional de Karlsruhe fizeram o que deviam fazer e sua sentença os honra.

El País, *Madri, 27 de agosto de 1995*

Pedra de Toque
Defesa das seitas

Em 1983 participei em Cartagena, na Colômbia, de um congresso sobre meios de comunicação, presidido por dois intelectuais de prestígio (Germán Arciniegas e Jacques Soustelle); lá, além de jornalistas de meio mundo, havia uns jovens incansáveis, dotados daqueles olhares fixos e ardentes que adornam os donos da verdade. Em dado momento, apareceu no certame, para grande alvoroço daqueles jovens, o reverendo Moon, chefe da Igreja da Unificação, que, através de um organismo de fachada, patrocinava aquele congresso. Pouco depois, percebi que a máfia progressista acrescentava a meu prontuário de iniquidades a de ter-me vendido a uma sinistra seita, a dos moonies.

Visto que, desde que perdi a fé que tinha, ando procurando uma que a substitua, corri iludido para verificar se a daquele risonho e roliço coreano que maltratava o inglês estava em condições de resolver meu problema. E assim li o magnífico livro sobre a Igreja da Unificação da professora da London School of Economics, Eileen Barker (que conheci naquela reunião de Cartagena), provavelmente quem estudou de maneira mais séria e responsável o fenômeno da proliferação das seitas religiosas neste fim de milênio. Por ela fiquei sabendo, entre outras muitas coisas, que o reverendo Moon não só se considera incumbido pelo Criador da insignificante responsabilidade de unir judaísmo, cristianismo e budismo numa única Igreja, como também acredita ser ele mesmo uma hipóstase de Buda e Jesus Cristo. Isto, naturalmente, me desqualifica totalmente para integrar suas fileiras: se, apesar das excelentes credenciais concedidas por 2 mil anos de história, eu me confesso completamente incapaz de acreditar na divindade do Nazareno, será difícil aceitá-la num evangelista norte-coreano que não pôde nem com o Internal Revenue Service dos Estados Unidos (que o pôs na cadeia durante um ano por sonegar impostos).

Pois bem, se os moonies *(e os 1.600 grupos e grupelhos religiosos detectados pela Inform, dirigida pela professora Barker) me deixam cético, o mesmo me ocorre em relação àqueles que de um tempo para cá se dedicam a persegui-los e a pedir que os governos os proíbam, com o argumento de que eles corrompem a juventude, desestabilizam as famílias, sugam os contribuintes e se infiltram nas instituições do Estado. O que está acontecendo nestes dias na Alemanha com a Igreja da cientologia confere perturbadora atualidade ao tema. Como se sabe, as autoridades de alguns estados da República Federal — Baviera, sobretudo — pretendem excluir dos postos administrativos os membros daquela organização; realizaram campanhas de boicote a filmes de John Travolta e Tom Cruise, por serem "cientólogos", e proibiram um show de Chick Corea em Baden-Württemberg pela mesma razão.*

Embora seja absurdo exagero comparar essas medidas de intransigência com a perseguição sofrida pelos judeus durante o nazismo, como foi dito no manifesto das 34 personalidades de Hollywood que protestaram contra essas iniciativas desfavoráveis à cientologia num anúncio pago no The New York Times, *é inegável que tais operações constituem flagrante violação dos princípios de tolerância e pluralismo da cultura democrática e um perigoso precedente. Concordo que o senhor Tom Cruise e sua bela esposa, Nicole Kidman, podem ser acusados de ter sensibilidade embotada e horrendo gosto literário se, à leitura dos Evangelhos, preferem a dos aleijões cientí-*

fico-teológicos de L. Ron Hubbard, que há quatro décadas fundou a Igreja da Cientologia. Mas por que seria esse um assunto no qual haveriam de meter o bico as autoridades de um país cuja Constituição garante aos cidadãos o direito de crer no que bem queiram ou de não crer em nada?

O único argumento sério para proibir ou discriminar as "seitas" não está ao alcance dos regimes democráticos; está, sim, por outro lado, naquelas sociedades onde o poder religioso e político são uma coisa só, onde, como na Arábia Saudita ou no Sudão, o Estado determina qual é a verdadeira religião e se arroga por isso o direito de proibir as falsas e de castigar hereges, heterodoxos e sacrílegos, inimigos da fé. Numa sociedade aberta, isso não é possível: o Estado precisa respeitar as crenças particulares, por mais disparatadas que pareçam, sem se identificar com nenhuma igreja, pois, se o fizer, acabará inevitavelmente por atropelar as crenças (ou a falta delas) de grande número de cidadãos. É o que estamos vendo atualmente no Chile, uma das sociedades mais modernas da América Latina, que, no entanto, em algum aspecto continua sendo quase troglodita, pois ainda não aprovou uma lei de divórcio por causa da oposição da influente Igreja católica.

As razões aduzidas contra as seitas frequentemente são certeiras. É verdade que seus prosélitos costumam ser fanáticos, que seus métodos catequizadores são azucrinantes (um testemunha de Jeová me assediou durante um longo ano em Paris para tomar o banho lustral, deixando-me numa exasperação de pesadelo), e que muitas delas literalmente esvaziam os bolsos dos fiéis. Pois bem: não se pode dizer o mesmo, com todos os pontos e vírgulas, de muitas seitas respeitabilíssimas das religiões tradicionais? Os judeus ultraortodoxos de Mea Shearim, em Jerusalém, que aos sábados saem para apedrejar os automóveis que passam pelo bairro, por acaso são um modelo de flexibilidade? E porventura o Opus Dei é menos rigoroso na dedicação que exige de seus membros efetivos do que as formações evangélicas mais intransigentes são com os seus? Esses são alguns exemplos tomados ao acaso, entre muitíssimos outros, que provam à saciedade que toda religião — seja ela validada pela pátina dos séculos e milênios, pela rica literatura e pelo sangue dos mártires, seja ela novinha em folha, forjada no Brooklyn, em Salt Lake City ou em Tóquio e promovida pela internet — é potencialmente intolerante, tem vocação ao monopólio, e as justificações para limitar ou impedir o funcionamento de algumas delas são igualmente válidas para todas as outras. Ou seja, de duas uma: ou são todas proibidas, sem exceção, como tentaram alguns ingênuos — Revolução Francesa, Lenin, Mao, Fidel Castro —, ou são todas autorizadas, com a única exigência de que atuem dentro da lei.

Nem é preciso dizer que sou partidário intransigente desta segunda opção. E não só porque é um direito humano básico poder praticar a fé escolhida, sem por isso ser discriminado nem perseguido, mas também porque, para a imensa maioria dos seres humanos, a religião é o único caminho que conduz à vida espiritual e a uma consciência ética, sem as quais não há convivência humana, respeito à legalidade, nem aqueles consensos elementares que dão sustentação à vida civilizada. Foi um gravíssimo erro, repetido várias vezes ao longo da história, acreditar que o conhecimento, a ciência e a cultura iriam libertando progressivamente o homem das "superstições" da religião, até que, com o progresso, esta se tornasse inútil. A secularização não substituiu os deuses por ideias, saberes e convicções que desempenhassem suas funções. Deixou um vazio espiritual que os seres humanos preenchem como podem, às vezes com sucedâneos grotescos, com múltiplas formas de neurose, ou dando ouvidos ao chamado dessas seitas que, precisamente por seu caráter absorvente e exclusivista, de planejamento minucioso de todos os instantes da vida física e espiritual, proporcionam equilíbrio e ordem àqueles que se sentem confusos, solitários e aturdidos no mundo de hoje.

Nesse sentido elas são úteis e deveriam ser não só respeitadas, como também fomentadas. Mas, evidentemente, não subsidiadas nem mantidas com o dinheiro dos contribuintes. O Estado democrático, que é e só pode ser laico, ou seja, neutro em matéria religiosa, abandona essa neutralidade quando, com o argumento de que a maioria ou uma parte considerável dos cidadãos professa determinada religião, exonera sua igreja de pagar impostos e lhe concede outros privilégios dos quais são excluídas as crenças minoritárias. Esta política é perigosa, porque discrimina no âmbito subjetivo das crenças e estimula a corrupção institucional.

O máximo a que se deveria chegar nesse campo é o que foi feito no Brasil, quando Brasília, a nova capital, foi construída: oferecer um terreno, numa avenida específica, a todas as igrejas que quisessem construir um templo ali. Há várias dezenas, se não me falha a memória: grandes e ostentosos edifícios, de arquitetura plural e idiossincrásica, entre os quais impera, soberbo e ouriçado de cúpulas e símbolos indecifráveis, o Templo da Rosa-Cruz.

El País, *Madri, 23 de fevereiro de 1997*

Reflexão final

Termino com uma nota pessoal um tanto melancólica. De alguns anos para cá, sem que eu percebesse muito bem no início, ao visitar exposições, assistir a alguns espetáculos, ver certos filmes, peças de teatro ou programas de televisão, ler certos livros, revistas e jornais, passei a ser assaltado pela incômoda sensação de que estavam gozando da minha cara e não havia como me defender diante de uma conspiração esmagadora e sutil para fazer que eu me sentisse inculto ou estúpido.

Por tudo isso, foi tomando conta de mim uma pergunta inquietante: por que a cultura dentro da qual nos movemos foi se banalizando até se transformar, em muitos casos, num pálido arremedo do que nossos pais e avós entendiam por essa palavra? Parece-me que essa deterioração nos mergulha em crescente confusão, da qual poderia resultar, no curto ou longo prazo, um mundo sem valores estéticos, em que as artes e as letras — as humanidades — teriam passado a ser pouco mais que formas secundárias do entretenimento, na rabeira daquilo que os grandes meios audiovisuais oferecem ao grande público e sem maior influência na vida social. Esta, definitivamente orientada por considerações pragmáticas, transcorreria então sob a direção absoluta dos especialistas e dos técnicos, destinada essencialmente à satisfação das necessidades materiais e animada pelo espírito de lucro, motor da economia, valor supremo da sociedade, medida exclusiva do fracasso e do sucesso e, por isso mesmo, razão de ser dos destinos individuais.

Isso não é um pesadelo orwelliano, e sim uma realidade perfeitamente possível, da qual as nações mais avançadas do planeta, as do Ocidente democrático e liberal, foram se aproximando de modo discreto, à medida que os fundamentos da cultura tradicional entravam em falência e iam sendo substituídos por fraudes que afastavam cada vez mais do grande público as criações artísticas e literárias, as ideias filosóficas, os ideais cívicos, os valores e, em suma, toda aquela dimensão espiritual chamada antigamente de cultura, que, embora confinada sobretudo a uma elite, no passado transbordava para o conjunto da sociedade e influía sobre ela, dando-lhe sentido para a vida e razão de ser para a existência, que transcendia o mero bem-estar material. Nunca vivemos, como agora, uma época tão rica em conhecimentos científicos e invenções tecnológicas, nem mais equipada para derrotar as doenças, a ignorância e a pobreza; no entanto, talvez nunca tenhamos ficado tão desconcertados diante de certas questões básicas como o que fazemos neste astro sem luz própria que nos coube, se a mera sobrevivência é o único norte que justifica a vida, se palavras como espírito, ideais, prazer, amor, solidariedade, arte, criação, beleza, alma, transcendência ainda significam alguma coisa, e, em sendo positiva a resposta, o que há e o que não há nelas. A razão de ser da cultura era dar resposta a esse tipo de pergunta. Hoje ela está exonerada de semelhante responsabilidade, já que a transformamos aos poucos em algo muito mais superficial e volúvel: uma forma de diversão para o grande público ou um jogo retórico, esotérico e obscurantista para grupelhos vaidosos de acadêmicos e intelectuais que dão as costas ao conjunto da sociedade.

A ideia de progresso é enganosa. Evidentemente, só um cego ou um fanático poderiam negar que tenha alcançado desenvolvimento sem precedentes na história uma época em que os seres humanos podem viajar até as estrelas, comunicar-se instantaneamente vencendo todas as distâncias, graças à internet, clonar animais e humanos, fabricar armas capazes de fazer o planeta evaporar e degradar com suas invenções industriais o ar que respiramos, a água que bebemos e a terra que nos alimenta. Ao mesmo tempo, nunca foi menos segura a sobrevivência da espécie em vista dos riscos de um confronto ou de um acidente atômico, da loucura sanguinária dos fanatismos religiosos e da degradação do meio ambiente. E talvez também nunca tenha havido, ao lado das extraordinárias oportunidades e condições de vida de que gozam os privilegiados, a pavorosa miséria de que ainda padecem, neste mundo tão próspero, centenas de milhões de seres humanos, não só no chamado Terceiro Mundo, mas também em enclaves de vergonha no seio das cidades mais opulentas do planeta. Fazia muito tempo que o mundo não sofria as crises e os descalabros financeiros que nos últimos anos arruinaram tantas empresas, pessoas e países.

No passado, a cultura foi muitas vezes o melhor meio de chamar a atenção para semelhantes problemas, uma consciência que impedia as pessoas cultas de darem as costas à realidade nua e crua de seu tempo. Agora, ao contrário, é um mecanismo que permite ignorar os assuntos problemáticos, que nos distrai do que é sério, submergindo-nos num momentâneo "paraíso artificial", pouco menos que o sucedâneo de dar um dois num baseado ou um teco na cocaína, ou seja, umas feriazinhas de irrealidade.

Todos esses são temas complexos que não cabem nas pretensões limitadas deste livro. Menciono-os como testemunho pessoal. Tais questões se refratam nestas páginas através da experiência de alguém que, desde que descobriu a aventura espiritual através dos livros, sempre teve por modelo aquelas pessoas que se moviam com desenvoltura no mundo das ideias e tinham claros alguns valores estéticos que lhes permitiam opinar com segurança sobre o que era bom e ruim, original ou imitação, revolucionário ou rotineiro, tanto em literatura quanto em artes plásticas, filosofia e música. Muito consciente das deficiências de minha formação, durante toda a vida procurei suprir esses vazios, estudando, lendo, visitando museus e galerias, indo a bibliotecas, conferências e concertos. Não havia nisso sacrifício algum. Havia, sim, o imenso prazer de ir descobrindo como meu horizonte intelectual se ampliava, pois entender Nietzsche ou Popper, ler Homero, decifrar o *Ulisses* de Joyce, degustar a poesia de Góngora, Baudelaire, T. S. Eliot, explorar o universo de Goya, Rembrandt, Picasso, Mozart, Mahler, Bartók, Tchekhov, O'Neill, Ibsen, Brecht, enriquecia extraordinariamente minha fantasia, meus apetites e minha sensibilidade.

Até que, de repente, comecei a sentir que muitos artistas, pensadores e escritores contemporâneos estavam gozando de mim. E isso não era um fato isolado, casual e transitório, mas um verdadeiro processo do qual pareciam cúmplices, além de alguns criadores, também seus críticos, editores, galeristas, produtores e um público de pacóvios que aqueles manipulavam a seu bel-prazer, fazendo-os levar gato por lebre, por razões financeiras e às vezes por puro esnobismo.

O pior é que esse fenômeno provavelmente não tem conserto, porque já faz parte de uma maneira de nossa época ser, viver, fantasiar e crer, e aquilo de que sinto saudade talvez seja pó e cinza sem reconstituição possível. Mas pode ser, também — já que nada está parado no mundo em que vivemos —, que esse fenômeno, a civilização do espetáculo, desapareça sem deixar saudade, por obra de sua própria insignificância, e que outra coisa a substitua, talvez melhor, talvez pior, na sociedade do futuro. Confesso que tenho pouca curiosidade sobre o futuro, no qual, a continuarem assim as coisas, tendo a descrer. Por outro lado, interessa-me muito o passado e muitíssimo mais o presente, incompreensível sem aquele. Neste presente há inúmeras coisas melhores que as vividas por nossos ancestrais: menos ditaduras, mais democracias, uma liberdade que atinge mais países e pessoas do que nunca antes, prosperidade e educação que chegam a mais gente que antes e oportunidades para grande número de seres humanos, como jamais houve antes, salvo para ínfimas minorias.

Mas, num campo específico, de fronteiras voláteis, o da cultura, mais retrocedemos que avançamos, sem perceber e sem querer, por culpa fundamentalmente dos países mais cultos, os que estão na vanguarda do desenvolvimento, os que marcam as pautas e as metas que pouco a pouco vão contagiando os que vêm atrás. E também acredito que uma das consequências possíveis da degeneração da vida cultural por obra da frivolidade seria tais gigantes, com o tempo, mostrarem que têm pés de barro e perderem seu protagonismo e poder, por terem desperdiçado com tanta leviandade a arma secreta que fez deles o que chegaram a ser, ou seja, a delicada matéria que dá sentido, conteúdo e ordem ao que chamamos civilização. Felizmente, a história não é algo fatídico, e sim uma página em branco na qual escreveremos o futuro com nossa própria pluma — nossas decisões e omissões. Isso é bom, pois significa que sempre temos tempo de retificar.

Uma última curiosidade, hoje universal: os livros de papel sobreviverão ou os livros eletrônicos acabarão com eles? Os leitores do futuro serão leitores apenas de *tablets* digitais? No momento em que escrevo estas linhas, o *e-book* ainda não se impôs, e na maior parte dos países o livro de papel continua sendo o mais popular. Mas ninguém pode negar que a tendência é de que aquele vá ganhando terreno sobre este, a ponto de não ser impossível vislumbrar uma época em que os leitores de livros na tela sejam a grande maioria, e os do papel fiquem reduzidos a ínfimas minorias ou até desapareçam.

Muitos desejam que isso ocorra o quanto antes, como Jorge Volpi, um dos principais escritores latino-americanos das novas gerações,* que celebra a chegada do livro eletrônico como "uma transformação radical de todas as práticas associadas à leitura e à transmissão do conhecimento", algo que — garante — dará "o maior impulso à democratização da cultura dos tempos modernos". Volpi acredita que muito em breve o livro digital será mais barato que o de papel, e que é iminente o "aparecimento de textos enriquecidos já não só com imagens, mas também com áudio e vídeo". Desaparecerão livrarias, bibliotecas, editores, agentes literários, revisores, distribuidores, e só ficará a saudade de tudo isso. Esta revolução — diz ele — contribuirá de maneira decisiva "para a maior expansão democrática vivida pela cultura desde... a invenção da imprensa".

É muito possível que Volpi tenha razão, mas essa perspectiva, que o entusiasma, a mim e a mais alguns, como Vicente Molina Foix,** angustia. Diferentemente de Volpi, não acredito que a troca do livro de papel pelo eletrônico seja inócua, simples troca de "envoltório", mas também de conteúdo. Não tenho como demonstrá-lo, mas desconfio que, quando os escritores escreverem literatura virtual, não escreverão da mesma maneira que vieram escrevendo até agora, pensando na materialização de seus escritos nesse objeto concreto, táctil e durável que é (ou nos parece ser) o livro. Algo da imaterialidade do livro eletrônico contagiará seu conteúdo, como ocorre com essa literatura canhestra, sem ordem nem sintaxe, feita de apócopes e gíria, às vezes indecifrável, que domina no mundo de blogs, twitter, facebook e outros sistemas de comunicação através da rede, como se

---

* V. seu artigo "Réquiem por el papel", *El País*, 15 de outubro de 2011.

** V. sua resposta a Volpi, "El siglo XXV: una hipótesis de lectura", *El País*, 3 de dezembro de 2011.

seus autores, ao usarem esse simulacro que é a ordem digital para se expressar, se sentissem libertos de qualquer exigência formal e autorizados a atropelar a gramática, o bom senso e os princípios mais elementares da correção linguística. A televisão até agora é a melhor demonstração de que a tela banaliza os conteúdos — sobretudo as ideias — e tende a transformar em espetáculo (no sentido mais epidérmico e efêmero do termo) tudo o que passa por ela. Minha impressão é de que literatura, filosofia, história, crítica de arte, sem falar da poesia, em suma, todas as manifestações da cultura escritas para a rede serão sem dúvida cada vez mais de entretenimento, ou seja, mais superficiais e passageiras, como tudo o que se torna dependente da atualidade. Se for assim, os leitores das novas gerações dificilmente estarão em condições de apreciar tudo o que valem e significaram certas obras exigentes de pensamento ou criação, pois elas lhes parecerão tão remotas e excêntricas como o são para nós as disputas escolásticas medievais sobre os anjos ou os tratados de alquimistas sobre a pedra filosofal.

Por outro lado, segundo se depreende de seu artigo, ler, para Volpi, consiste apenas em ler, ou seja, em inteirar-se do conteúdo do que é lido, e não há dúvida de que esse é o caso de muitíssimos leitores. Mas, na polêmica com Vicente Molina Foix que seu artigo gerou, este último lembrou a Volpi que, para muitos leitores, "ler" é uma operação que, além de informar sobre o conteúdo das palavras, significa também, e talvez principalmente, gozar, saborear aquela beleza que, tal como os sons de uma linda sinfonia, as cores de um quadro insólito ou as ideias de uma argumentação aguda, é emitida pelas palavras unidas a seu suporte material. Para esse tipo de leitor ler é, tanto quanto uma operação intelectual, um exercício físico, algo que — como diz muito bem Molina Foix — "acrescenta ao ato de ler um componente sensual e sentimental infalível. O tato e a imanência dos livros são, para o aficionado, variações do erotismo do corpo trabalhado e manuseado, uma maneira de amar".

Custa-me imaginar que os *tablets* eletrônicos, idênticos, anódinos, intercambiáveis e funcionais a mais não poder, consigam despertar esse prazer táctil prenhe de sensualidade que os livros de papel despertam em certos leitores. Mas não é de surpreender que, numa época entre cujas proezas esteja a de ter acabado com o erotismo, também se desvaneça esse hedonismo refinado que enriquecia o prazer espiritual da leitura com o prazer físico de tocar e acariciar.

Antecedentes

Pedra de Toque
Mais informação, menos conhecimento

Nicholas Carr estudou Literatura no Dartmouth College e na Universidade de Harvard, e tudo indica que na juventude foi um leitor voraz de bons livros. Depois, tal como ocorreu com toda a sua geração, descobriu o computador, a internet, os prodígios da grande revolução informática de nosso tempo, e não só dedicou boa parte da vida a usar todos os serviços on-line *e a navegar o dia inteiro pela rede, como também se tornou um profissional e especialista nas novas tecnologias da comunicação, sobre as quais escreveu extensamente em prestigiosas publicações dos Estados Unidos e da Inglaterra.*

Um belo dia ele descobriu que tinha deixado de ser bom leitor e, quase quase, leitor. Sua concentração se dissipava depois de uma ou duas páginas de um livro; e, sobretudo se o que lia era complexo e demandava muita atenção e reflexão, surgia em sua mente algo como uma recôndita rejeição a continuar com aquele esforço intelectual. É assim que ele conta: "Perco a calma e o fio da meada, começo a pensar em outra coisa para fazer. Sinto-me como se estivesse sempre arrastando meu cérebro desconcentrado de volta para o texto. A leitura profunda, que costumava vir naturalmente, transformou-se em esforço."

Preocupado, tomou uma decisão radical. No final de 2007, ele e a esposa abandonaram suas ultramodernas instalações de Boston e foram morar numa cabana das montanhas do Colorado, onde não *havia telefonia móvel, e a internet era melhor que não aparecesse. Ali, ao longo de dois anos, escreveu o polêmico livro que o tornou famoso. Intitula-se em inglês* The Shallows: What the Internet is Doing to Our Brains *e em espanhol:* Superficiales: ¿Qué está haciendo Internet con nuestras mentes? *(Taurus, 2011).* Acabo de lê-lo de uma tacada só e fiquei fascinado, assustado e entristecido.*

Carr não é um renegado da informática, não se tornou um ludista contemporâneo que gostaria de acabar com todos os computadores, de modo algum. Em seu livro reconhece a extraordinária contribuição que serviços como google, twitter, facebook ou skype dão à informação e à comunicação, o tempo que poupam, a facilidade com que uma imensa quantidade de seres humanos pode compartilhar experiências, os benefícios que tudo isso acarreta às empresas, à investigação científica e ao desenvolvimento econômico das nações.

Mas tudo isso tem um preço e, em última análise, significará uma transformação tão grande em nossa vida cultural e no modo de funcionamento do cérebro humano quanto foi a descoberta da imprensa por Johannes Gutenberg no século XV, que generalizou a leitura de livros, até então confinada a uma minoria insignificante de clérigos, intelectuais e aristocratas. O livro de Carr é uma reivindicação das teorias do agora esquecido Marshall McLuhan, de quem ninguém fez muito caso quando, há mais de meio século, ele afirmou que os meios não são nunca meros veículos de um conteúdo, que eles exercem uma influência subliminar sobre este, e que, no longo prazo, modificam nossa maneira de pensar e agir. McLuhan referia-se sobretudo à televisão, mas a argumentação do livro de Carr e os abundantes experimentos e testemunhos citados para apoiá-la indicam que semelhante tese tem extraordinária atualidade no que se refere ao mundo da internet.

---

* No Brasil: *A geração superficial — o que a internet está fazendo com os nossos cérebros*, trad. Mônica Gagliotti Fortunato Friaça. Rio de Janeiro: Agir, 2011.

Os defensores recalcitrantes do software alegam que se trata de uma ferramenta que está a serviço de quem a usa e, evidentemente, há abundantes experimentos que parecem corroborar essa afirmação, desde que essas provas sejam feitas no campo de ação, em que os benefícios dessa tecnologia são indiscutíveis: quem poderia negar que representa um avanço quase milagroso o fato de, agora, em poucos segundos e com um pequeno clique do mouse, *um internauta conseguir uma informação que há poucos anos exigia semanas ou meses de consultas em bibliotecas e a especialistas? Mas também há provas concludentes de que, ao deixar de se exercitar por contar com o arquivo infinito posto ao seu alcance por um computador, a memória de uma pessoa se entorpece e debilita tal como os músculos que deixam de ser usados.*

Não é verdade que a internet é apenas uma ferramenta. É um utensílio que passa a ser um prolongamento de nosso próprio corpo, de nosso próprio cérebro, que, também de maneira discreta, vai se adaptando pouco a pouco a esse novo sistema de informar-se e de pensar, renunciando devagar às funções que esse sistema desempenha por ele e, às vezes, melhor que ele. Não é uma metáfora poética dizer que a "inteligência artificial" que está a seu serviço suborna e sensualiza nossos órgãos pensantes, que, de maneira paulatina, vão se tornando dependentes dessas ferramentas e, por fim, seus escravos. Para que manter fresca e ativa a memória se toda ela está armazenada em algo que um programador de sistemas chamou de "a melhor e maior biblioteca do mundo"? E para que aguçar a atenção se, apertando as teclas adequadas, as lembranças de que necessito vêm até mim, ressuscitadas por essas diligentes máquinas?

Não é estranho, por isso, que alguns fanáticos da web, como o professor Joe O'Shea, filósofo da Universidade da Flórida, afirmem: "Sentar-se e ler um livro de cabo a rabo não tem sentido. Não é um bom uso de meu tempo, já que posso ter toda a informação que quiser com maior rapidez através da web. Quando alguém se torna caçador experiente na internet, os livros são supérfluos." O que há de atroz nessa frase não é a afirmação final, mas o fato de o filósofo em questão acreditar que as pessoas leem livros só para "informar-se". Esse é um dos estragos que o vício frenético na telinha pode causar. Daí a patética confissão da doutora Katherine Hayles, professora de Literatura da Universidade de Duke: "Já não consigo fazer meus alunos lerem livros inteiros."

Esses alunos não têm culpa de serem agora incapazes de ler Guerra e paz ou Dom Quixote. Acostumados a pescar informações nos computadores, sem precisarem fazer esforços prolongados de concentração, foram perdendo o hábito e até a faculdade de se concentrar e se condicionaram a contentar-se com esse borboleteio cognitivo a que a rede os acostuma, com suas infinitas conexões e saltos para acréscimos e complementos, de modo que ficaram de certa forma vacinados contra o tipo de atenção, reflexão, paciência e prolongada dedicação àquilo que se lê, que é a única maneira de ler, com prazer, a grande literatura. Mas não acredito que seja só a literatura que a internet tornou supérflua: toda obra de criação gratuita, não subordinada à utilização pragmática, fica fora do tipo de conhecimento e cultura que a web propicia. Sem dúvida esta armazenará com facilidade Proust, Homero, Popper e Platão, mas dificilmente suas obras terão muitos leitores. Para que ter o trabalho de lê-las se no Google posso encontrar sínteses simplificadas, claras e amenas daquilo que foi inventado naqueles livrinhos arrevesados que os leitores pré-históricos liam?

A revolução da informação está longe de terminar. Ao contrário, nesse campo surgem a cada dia novas possibilidades e novos sucessos, e o impossível vai retrocedendo velozmente. Devemos ficar alegres? Se o tipo de cultura que está substituindo a antiga nos parecer um progresso, sem dúvida sim. Mas devemos nos preocupar se esse progresso significar aquilo que um erudito estudioso dos efeitos da internet em nosso cérebro e em nossos costumes, Van Nimwegen, *deduziu depois de um de seus experimentos: que deixar por conta dos computadores a solução de todos os problemas cognitivos reduz "a capacidade do cérebro de construir estruturas estáveis de conhecimentos". Em outras palavras: quanto mais inteligente nosso computador, mais burros seremos.*

Talvez haja exageros no livro de Nicholas Carr, como sempre ocorre com os argumentos que defendem teses controvertidas. Careço dos conhecimentos neurológicos e de informática para julgar até que ponto são confiáveis as provas e as experiências científicas descritas em seu livro. Mas este me dá a impressão de ser rigoroso e sensato, uma advertência que — não nos enganemos — não será ouvida. Isso significa, se ele tiver razão, que a robotização de uma humanidade organizada em função da "inteligência artificial" é irrefreável. A menos, claro, que um cataclismo nuclear, por obra de um acidente ou uma ação terrorista, nos faça regredir às cavernas. Então, seria preciso começar de novo, para ver se dessa segunda vez fazemos as coisas melhor.

El País, *Madri, 31 de julho de 2011*

Dinossauros em tempos difíceis*

Por muitas razões, sinto-me comovido ao receber este Prêmio da Paz concedido pelos livreiros e editores alemães: pelo significado que ele tem no âmbito cultural, pelos ilustres intelectuais que o mereceram e aos quais agora ele me vincula, pelo reconhecimento que ele implica de uma vida dedicada à literatura.

Mas a razão principal, em meu caso, é seu obstinado anacronismo, seu empenho em entender o trabalho literário como responsabilidade que não se esgota na esfera artística e está indispensavelmente ligada a uma preocupação moral e a uma ação cívica. Com essa ideia de literatura nasceu minha vocação, ela animou até agora tudo o que escrevi e, por isso mesmo, temo que vá fazendo de mim, assim como do otimista Friedenspreis, nestes tempos de virtual reality, *um dinossauro de terno e gravata, rodeado de computadores. Já sei que as estatísticas estão do nosso lado, que nunca foram publicados e vendidos tantos livros como agora, e que, se o assunto pudesse limitar-se ao terreno dos números, não haveria nada que temer. O problema surge quando, não satisfeitos com as confortáveis pesquisas sobre publicações e vendas de livros, que parecem garantir a perenidade da literatura, espiamos — qual faria um incorrigível* voyeur — *atrás das roupagens numéricas.*

---

* Texto lido na Frankfurter Paulskirche, em 6 de outubro de 1996, ao receber o Prêmio da Paz (Friedenspreis) dos Editores e Livreiros alemães.

O que aí aparece é deprimente. Em nossos dias são escritos e publicados muitos livros, mas ninguém ao meu redor — ou quase ninguém, para não discriminar os pobres dinossauros — já acredita que a literatura sirva para muita coisa, salvo para não se entediar demais no ônibus ou no metrô, e para que, adaptadas ao cinema ou à tevê, as ficções literárias — e melhor ainda se forem de marcianos, horror, vampirismo ou crimes sadomasoquistas — se tornem televisivas ou cinematográficas. Para sobreviver, a literatura se tornou light *— noção que é um erro traduzir por leve, pois, na verdade, quer dizer irresponsável e, frequentemente, idiota. Por isso, alguns distintos críticos, como George Steiner, acreditam que a literatura já morreu, e excelentes romancistas, como V. S. Naipaul, proclamam que não voltarão a escrever romances, pois o gênero agora lhes dá nojo.*

Nesse contexto de pessimismo crescente sobre os poderes da literatura para ajudar os leitores a entender melhor a complexidade humana, manter-se lúcidos sobre as deficiências da vida, alertas perante a realidade histórica circundante e indóceis à manipulação da verdade por parte dos poderes constituídos (para isso se achava que a literatura servia, além de entreter, quando comecei a escrever), é quase alentador voltar o olhar para a malta de gângsteres que governa a Nigéria e assassinou Ken Saro-Wiwa, os perseguidores de Taslima Nasrin em Bangladesh, os ulemás iranianos que ditaram a fatwa *condenando à morte Salmam Rushdie, os fundamentalistas islâmicos que degolaram dezenas de jornalistas, poetas e dramaturgos na Argélia, os que, no Cairo, cravaram a adaga que quase acabou com a vida de Naguib Mahfuz, e para regimes como os da Coreia do Norte, Cuba, China, Vietnã, Birmânia e tantos outros, com seus sistemas de censura e seus escritores encarcerados ou exilados. Não deixa de constituir instrutivo paradoxo o fato de que, enquanto nos países considerados mais cultos, que são também os mais livres e democráticos, a literatura, segundo concepção generalizada, se transforma em entretenimento intranscendente, nos países onde a liberdade é cerceada e os direitos humanos são diariamente desrespeitados, a literatura seja considerada perigosa, disseminadora de ideias subversivas e germe de insatisfação e rebeldia. Os dramaturgos, romancistas e poetas dos países cultos e livres, que se desencantam de seu ofício em vista da frivolidade à qual ele lhes parece estar sucumbindo, ou que o acreditam já derrotado pela cultura audiovisual, deveriam lançar um olhar para essa vastíssima zona do mundo que ainda não é culta nem livre, para que seu moral se eleve. Ali, a literatura não deve estar morta nem ser de todo inútil, nem devem ser inócuos a poesia, o romance e o teatro, uma vez que os déspotas, tiranetes e fanáticos têm tanto medo dessas coisas e lhes prestam a homenagem de censurá-las e de amordaçar ou aniquilar seus autores.*

Apresso-me a acrescentar que, embora acredite que a literatura deve comprometer-se com os problemas de seu tempo, e o escritor deve escrever com a convicção de que, escrevendo, pode ajudar os outros a serem mais livres, sensíveis e lúcidos, estou longe de afirmar que "o compromisso" cívico e moral do intelectual garante o acerto, a defesa da melhor opção, a que contribui para deter a violência, reduzir a injustiça e promover o avanço da liberdade. As ocasiões em que me enganei e vi escritores que admirei e tive como mentores enganarem-se também e, às vezes, porem seu talento a serviço da mentira ideológica e do crime de Estado foram numerosas demais para que eu alimente ilusões. Mas creio, sim, com firmeza que, sem renunciar a entreter, a literatura deve mergulhar até o pescoço na vida das ruas, na experiência comum, na história em curso, como fez em seus melhores momentos, porque, desse modo, sem arrogância, sem pretender a onisciência, assumindo o risco do erro, o escritor pode prestar um serviço a seus contemporâneos e salvar seu ofício da decadência em que às vezes parece estar caindo.

Se for só para entreter, fazer o ser humano passar uns momentos agradáveis, imerso na irrealidade, emancipado da sordidez cotidiana, do inferno doméstico ou da angústia econômica, numa indolên-

cia espiritual relaxada, as ficções da literatura não poderão competir com as apresentadas nas telas, grandes ou pequenas. As ilusões plasmadas com a palavra exigem ativa participação do leitor, esforço de imaginação e, às vezes, em se tratando de literatura moderna, complicadas operações de memória, associação e criação, algo de que as imagens do cinema e da televisão dispensam os espectadores. E estes, em parte por esse motivo, tornam-se a cada dia mais preguiçosos, mais alérgicos a um entretenimento que exija deles esforço intelectual. Digo isto sem a menor intenção beligerante contra os meios audiovisuais e a partir da confessa posição de viciado em cinema — vejo dois ou três filmes por semana —, que também tem prazer com um bom programa de televisão (essa raridade). Mas, por isso mesmo, posso afirmar com conhecimento de causa que todos os bons filmes que vi na vida e que tanto me divertiram não me ajudaram nem remotamente a entender o labirinto da psicologia humana tanto quanto os romances de Dostoiévski, ou os mecanismos da vida social tanto quanto Guerra e paz *de Tolstoi, ou os abismos de miséria e os ápices de grandeza que podem coexistir no ser humano tanto quanto aprendi com as sagas literárias de Thomas Mann, Faulkner, Kafka, Joyce ou Proust. As ficções das telas são intensas por causa da imediatez e efêmeras nos resultados; aprisionam e libertam quase de imediato; das literárias somos prisioneiros para toda a vida. Dizer que os livros daqueles autores entretêm seria ofendê-los, porque, embora seja impossível não os ler em estado de transe, o importante das boas leituras é sempre posterior à leitura, efeito que deflagra na memória e no tempo. Está ocorrendo ainda em mim, porque, sem elas, para o bem ou para o mal, eu não seria como sou, nem acreditaria no que acredito, nem teria as dúvidas e as certezas que me fazem viver. Esses livros me modificaram, modelaram, fizeram. E ainda continuam me modificando e fazendo, incessantemente, no ritmo de uma vida com a qual os vou cotejando. Neles aprendi que o mundo está malfeito e sempre estará malfeito — o que não significa que não devamos fazer o possível para que não seja ainda pior do que é —, que somos inferiores ao que sonhamos e vivemos na ficção, e que, na comédia humana de que somos atores, há uma condição que compartilhamos, em nossa diversidade de culturas, raças e crenças, que nos torna iguais e deveria tornar, também, solidários e fraternos. O fato de não ser assim, de, apesar de termos tantas coisas em comum com nossos semelhantes, ainda proliferarem preconceitos raciais e religiosos, a aberração dos nacionalismos, a intolerância e o terrorismo, é algo que posso entender muito melhor graças àqueles livros que me mantiveram alerta e em brasas enquanto os lia, porque nada melhor do que a boa literatura para aguçar nosso olfato e nos tornar sensíveis para detectar as raízes da crueldade, da maldade e da violência que o ser humano pode desencadear.*

Por duas razões, parece-me possível afirmar que, se a literatura não continuar desempenhando essa função no presente como desempenhou no passado — renunciando a ser light, *voltando a "comprometer-se", tentando abrir os olhos das pessoas, através da palavra e da fantasia, sobre a realidade que nos rodeia —, será mais difícil conter a erupção de guerras, matanças, genocídios, confrontos étnicos, lutas religiosas, deslocamentos de refugiados e ações terroristas que se declararam e ameaçam proliferar, destruindo as ilusões de um mundo pacífico a conviver na democracia, que a queda do Muro de Berlim levou a conceber. Não foi assim. A derrota da utopia coletivista significou um passo à frente, evidentemente, mas não trouxe o consenso universal sobre a vida em democracia, vislumbrado por Francis Fukuyama; ao contrário, trouxe uma confusão e uma complicação da realidade histórica para cujo entendimento não seria inútil recorrer aos labirintos literários ideados por Faulkner ao relatar a saga de Yoknapatawpha e por Hermann Hesse, no jogo das contas de vidro. Pois a história acabou por se tornar tão desconcertante e elusiva como um conto fantástico de Jorge Luis Borges.*

A primeira é a urgência da mobilização das consciências, que exija ações resolutas dos governos democráticos em favor da paz, onde esta seja rompida, com a ameaça de provocar catástrofes, como na Bósnia, na Chechênia, no Afeganistão, no Líbano, na Somália, em Ruanda, na Libéria e em tantos outros lugares onde, neste mesmo instante, se tortura e se mata ou são renovados os arsenais para futuras matanças. A paralisia com que a União Europeia assistiu a uma tragédia ocorrida em suas portas, os Bálcãs — 200 mil mortos e operações de limpeza étnica que, ademais, acabam de ser legitimadas nas recentes eleições que confirmaram no poder os partidos mais nacionalistas —, é uma prova dramática da necessidade de despertar essas consciências caídas na letargia da complacência ou da indiferença, e tirar as sociedades democráticas do marasmo cívico, que, para elas, foi uma das inesperadas consequências da derrocada do comunismo. Os espantosos crimes cometidos pelo fanatismo nacionalista e racista nesse barril de pólvora — apaziguado, mas não totalmente desativado — que é a ex-Iugoslávia, crimes que poderiam ter sido evitados com uma ação oportuna dos países ocidentais, acaso não demonstram a necessidade de uma vigorosa iniciativa no campo das ideias e da moral pública que informe ao cidadão o que está em jogo e o faça sentir-se responsável? Os escritores podem contribuir nessa tarefa, como fizeram no passado tantas vezes, quando ainda acreditavam que a literatura não só servia para entreter, como também para preocupar, alarmar e induzir a lutar por uma boa causa. A sobrevivência da espécie e da cultura é uma boa causa. Abrir os olhos, contagiar de indignação com a injustiça e o crime e de entusiasmo com certos ideais, provar que há lugar para a esperança nas circunstâncias mais difíceis, isso é coisa que a literatura soube fazer, embora, às vezes, tenha errado de alvo e defendido o indefensável.

A segunda razão é que hoje, quando muitos acreditam que as imagens e as telas estão tornando obsoleta a palavra escrita, esta tem a possibilidade de aprofundar-se mais na análise dos problemas, de chegar mais longe na descrição da realidade social, política e moral e, em resumo, de dizer mais a verdade do que os meios audiovisuais. Estes estão condenados a passar sobre a superfície das coisas e sofrem muito mais interferências que os livros no que se refere à liberdade de expressão e de criação. Esta me parece uma realidade lamentável, mas inevitável: as imagens das telas divertem mais, entretêm melhor, mas são sempre parcimoniosas, amiúde insuficientes e muitas vezes ineptas para dizer, no complexo âmbito da experiência individual e histórica, aquilo que nos tribunais é exigido das testemunhas: "a verdade e toda *a verdade". E sua capacidade crítica é por isso muito escassa.*

Quero deter-me um momento nisso, que pode parecer um contrassenso. O avanço da tecnologia das comunicações embaralhou as fronteiras e instalou a aldeia global, onde todos somos, afinal, contemporâneos da atualidade, seres intercomunicados. Devemos nos felicitar por isso, evidentemente. As possibilidades da informação, de saber o que está ocorrendo, de vivenciar tudo em imagens, de estar no meio da notícia, graças à revolução audiovisual, foram mais longe do que poderiam desconfiar os grandes previsores do futuro, como Júlio Verne ou H. G. Wells. E, no entanto, embora muito informados, estamos mais desconectados e distanciados que antes do que ocorre no mundo. Não "distanciados" da maneira como Bertolt Brecht queria que o espectador estivesse: para educar sua razão e fazê-lo tomar consciência moral e política, para que soubesse diferenciar o que via no cenário do que acontece nas ruas. Não. A fantástica acuidade e versatilidade com que a informação nos transporta hoje para os cenários da ação nos cinco continentes conseguiu transformar o telespectador num mero espectador, e o mundo num vasto teatro, ou, melhor, num filme, num reality show *com enorme capacidade de entreter, onde às vezes somos invadidos por marcianos, são reveladas as intimidades picantes das pessoas, de vez em quando são descobertas valas comuns com bósnios sacrificados de Srebrenica, veem-se mutilados da Guerra do Afeganistão, caem foguetes sobre Bagdá ou as crianças de Ruanda exibem seus esqueletos e seus olhos agônicos. A informação audiovisual, fugaz, passageira, chamativa, superficial, nos faz ver a história como ficção, distanciando-nos dela por meio do ocultamento de causas, engrenagens, contextos e desenvolvimentos desses acontecimentos que ela nos apresenta de modo tão vívido. Essa é uma maneira de nos levarem a sentir-nos tão impotentes para mudar o que desfila diante de nossos olhos na tela como quando vemos um filme. Ela nos condena à mesma receptividade passiva, à atonia moral e à anomia psicológica em que costumam nos deixar as ficções ou os programas de consumo de massas, cujo único propósito é entreter.*

É um estado perfeitamente lícito, claro, e que tem seus encantos: todos gostamos de fugir da realidade objetiva nos braços da fantasia; essa também foi, desde o princípio, uma das funções da literatura. Mas irrealizar o presente, ou seja, transformar a história real em ficção, desmobiliza o cidadão, leva-o a sentir-se exonerado de responsabilidade cívica, a acreditar que está fora de seu alcance intervir numa história cujo roteiro já está escrito, interpretado e filmado de modo irreversível. Por este caminho poderemos resvalar para um mundo sem cidadãos, de espectadores, um mundo que, embora tenha as formas democráticas, terá chegado a ser aquela sociedade letárgica, de homens e mulheres resignados, a que todas as ditaduras aspiram.

Além de transformar a informação em ficção, devido à natureza de sua linguagem e às limitações de tempo que tem, a margem de liberdade de que a criação audiovisual desfruta é restringida pelo altíssimo custo de sua produção. Essa é uma realidade não premeditada, mas determinante, pois gravita como coerção em torno do realizador na hora de escolher um tema e conceber a maneira de narrá-lo. A busca do sucesso imediato em seu caso não é futilidade, vaidade, ambição; é o requisito sem o qual ele não pode fazer (ou voltar a fazer) um filme. Mas o tenaz conformismo que costuma ser a norma do produto audiovisual típico não decorre apenas dessa necessidade de conquistar um grande público, nivelando por baixo, para recuperar os elevados custos, mas também do fato de que, por se tratar de gêneros de massas, com repercussão imediata em amplos setores, a televisão e, em segundo lugar, o cinema são os meios mais controlados pelos poderes públicos, mesmo nos países mais abertos. Não explicitamente censurados — embora, em alguns casos, sim —, porém vigiados, aconselhados, dissuadidos, mediante leis, regulamentos ou pressões políticas e econômicas, de abordar os temas mais polêmicos ou de abordá-los de modo polêmico. Em outras palavras, induzidos a ser exclusivamente de entretenimento.

Este contexto gerou uma situação de privilégio para a palavra escrita e seu principal expoente, a literatura. Tem ela a oportunidade, eu quase diria a obrigação — já que pode, sim — de ser problemática, "perigosa" (como acreditam os ditadores e os fanáticos), agitadora de consciências, inconformista, preocupante, crítica, empenhada, segundo o refrão, em cutucar com vara curta o que sabe ser uma onça. Há um vazio por preencher, e os meios audiovisuais não estão em condições nem têm permissão para preenchê-lo totalmente. Esse trabalho deverá ser feito, se não quisermos que o mais precioso bem de que gozamos (as minorias que gozamos dele) — a cultura da liberdade, a democracia política — se deteriore e sucumba, por omissão de seus beneficiários.

A liberdade é um bem precioso, mas não está garantida a nenhum país e a nenhuma pessoa que não saiba assumi-la, exercitá-la e defendê-la. A literatura, que respira e vive graças a ela, que sem ela asfixia, pode levar a compreender que a liberdade não é uma dádiva do céu, mas escolha, convicção, prática e ideias que devem ser enriquecidas e postas à prova o tempo todo. E, também, que a democracia é a melhor defesa já inventada contra a guerra, como postulou Kant, algo que hoje é ainda mais verdadeiro do que quan-

do o filósofo escreveu, pois quase todas as guerras do mundo há pelo menos um século ocorreram entre ditaduras ou foram desencadeadas por regimes autoritários e totalitários contra democracias, ao passo que quase não há casos — as exceções precisam ser procuradas como agulha em palheiro — de guerras em que se confrontem dois países democráticos. A lição é claríssima. A melhor maneira que as nações livres têm de obter um planeta pacificado é promover a cultura democrática. Em outras palavras, combatendo os regimes despóticos, cuja simples existência é ameaça de conflito bélico, quando não de promoção e financiamento do terrorismo internacional. Por isso, faço meu o chamamento de Wole Soyinka para que os governos do mundo desenvolvido apliquem sanções econômicas e diplomáticas contra os governos tirânicos, que violam os direitos humanos, em vez de ampará-los ou de fechar os olhos quando eles perpetram seus crimes, com a desculpa de que assim garantem os investimentos e a expansão de suas empresas. Essa política é imoral e também inviável, no médio prazo. Porque a segurança oferecida por regimes que assassinam seus dissidentes (como o do general Abacha, na Nigéria, ou a China que escraviza o Tibete, ou a tirania militar da Birmânia, ou o Gulag tropical cubano) é precária e pode desintegrar-se em anarquia ou violência, como ocorreu com a União Soviética. A melhor garantia para o comércio, o investimento e a ordem econômica internacional é a expansão da legalidade e a liberdade por todo o mundo. Há quem diga que as sanções são ineficazes para impulsionar a democracia. Acaso não funcionaram na África do Sul, no Chile, no Haiti, para acelerar a derrubada da ditadura?

"Comprometer-se" para o escritor não pode significar renúncia à aventura da imaginação, aos experimentalismos da linguagem, nem a buscas, audácias e riscos que tornam estimulante o trabalho intelectual, nem pode significar ojeriza ao riso, ao sorriso ou à brincadeira, por se considerar o dever de entreter incompatível com a responsabilidade cívica. Divertir, cativar, deslumbrar foi o que

sempre fizeram os grandes poemas, dramas, romances e ensaios. Não há ideia, personagem ou episódio da literatura que viva e dure se não sair, como o coelho da cartola do ilusionista, de sedutores passes de mágica. Não se trata disso.

Trata-se de aceitar o desafio que este fim de milênio nos lança, do qual não poderão se excluir as mulheres e os homens dedicados ao fazer cultural: vamos sobreviver? A queda do simbólico Muro de Berlim não tornou inútil a pergunta. Reformulou-a, acrescentando incógnitas. Antes, conjeturávamos se explodiria o grande confronto incubado pela guerra fria e se o mundo se consumiria no holocausto de um único conflito entre o Leste e o Oeste. Agora, trata-se de saber se a morte da civilização será mais lenta e descentralizada, como resultado de uma sucessão de múltiplas conflagrações regionais e nacionais suscitadas por razões ideológicas, religiosas, étnicas e pela crua ambição de poder. As armas estão aí e continuam sendo fabricadas. Atômicas e convencionais, elas existem de sobra para fazer desaparecer vários planetas, além deste pequeno astro sem luz própria que nos coube. A tecnologia da destruição prossegue em seu progresso vertiginoso e está até mais barata. Hoje, uma organização terrorista de poucos membros e recursos moderados dispõe de um instrumental destrutivo mais poderoso do que aqueles de que dispunham os mais eficientes devastadores, como Átila ou Gêngis Khan. Esse não é um problema das telas, grandes ou pequenas. É nosso problema. E se todos, inclusive os que escrevemos, não encontrarmos solução para isso, poderá ocorrer que, como num filme ameno, os monstros bélicos escapem de seu recinto de celuloide e mandem pelos ares a casa na qual nos acreditávamos a salvo.

Em seus anos de exílio na França, quando a Europa inteira ia caindo diante do avanço dos exércitos nazistas, que pareciam irresistíveis, um homem das letras, nascido em Berlim, Walter Benjamin, estudava diligentemente a poesia de Charles Baudelaire. Escrevia um livro sobre ele, que nunca foi terminado, do qual deixou alguns capítulos que hoje lemos com a fascinação que em nós produzem os mais fecundos ensaios. Por que Baudelaire? Por que esse tema, naquele momento sombrio? Lendo-o, descobrimos que em Les Fleurs du Mal *havia respostas para inquietantes interrogações feitas à vida do espírito e do intelecto pelo desenvolvimento de uma cultura urbana, pela situação do indivíduo e seus fantasmas numa sociedade massificada e despersonalizada com o crescimento industrial, pela orientação que a literatura, a arte, o sonho e os desejos humanos adotariam naquela nova sociedade. A imagem de Walter Benjamin inclinado sobre Baudelaire enquanto se fechava em torno de sua pessoa o cerco que acabaria por afogá-lo é tão comovedora como a do filósofo Karl Popper, que, naqueles mesmos anos, em seu exílio no outro lado do mundo, Nova Zelândia, punha-se a aprender grego clássico e a estudar Platão, como — as palavras são suas — contribuição pessoal para a luta contra o totalitarismo. Assim nasceria esse livro fundamental,* A sociedade aberta e seus inimigos.

Benjamin e Popper, o marxista e o liberal, heterodoxos e originais dentro das grandes correntes de pensamento que eles renovaram e impulsionaram, são dois exemplos de como, escrevendo, se pode resistir à adversidade, atuar, influir na história. Sendo modelos de escritores comprometidos, eu os cito, para terminar, como evidências de que, por mais que o ar se contamine e a vida não lhes seja propícia, os dinossauros podem dar um jeito de sobreviver e ser úteis nos tempos difíceis.

Paris, 18 de setembro de 1996

Agradecimentos

Embora as limitações e os erros que este ensaio possa ter sejam só meus, seus eventuais acertos devem muito às sugestões de três amigos generosos que leram o manuscrito; quero citá-los e agradecer-lhes: Verónica Ramírez Muro, Jorge Manzanilla e Carlos Granés.

Mario Vargas Llosa,
Madri, outubro de 2011

1ª EDIÇÃO [2013] 22 reimpressões

ESTA OBRA FOI COMPOSTA PELA ABREU'S SYSTEM EM ADOBE GARAMOND
E IMPRESSA EM OFSETE PELA LIS GRÁFICA SOBRE PAPEL PÓLEN DA
SUZANO S.A. PARA A EDITORA SCHWARCZ EM ABRIL DE 2025

A marca FSC® é a garantia de que a madeira utilizada na fabricação do papel deste livro provém de florestas que foram gerenciadas de maneira ambientalmente correta, socialmente justa e economicamente viável, além de outras fontes de origem controlada.